Tal vez si cierras los ojos

Tal vez si cierras los ojos

Linda Báez Lacayo

narratio

México, 2022

Tal vez si cierras los ojos

Primera edición, 2022

© D.R. 2022, Linda Báez Lacayo

© 2022, Narratio Aspectabilis S.A. de C.V.
Jardín Centenario 18-2, Villa de Coyoacán
Coyoacán 04000, Ciudad de México
<info@laboratoriodenovela.com>

Editor: Celso Santajuliana

ISBN 978-607-98915-4-1

Diseño de portada: Alejandra V. Báez

Título: Tal vez si cierras los ojos

Autor: Linda Báez Lacayo

Extensión: 182 páginas.

Dimensiones 17 x 23 cm

Publicación: México

Editorial: Narratio Aspectabilis S.A. de C.V.

ISBN: 978-607-98915-4-1

Literatura.

1,000 ejemplares.

naspec

Si lo miras bien, la pena se parece al invierno.
Un día se va, y tú te das cuenta de que sirvió de algo.

L. Bodoc

"Given the choice between the experience of pain and nothing, I would choose pain."

W. Faulkner

"El frío cruel, la soledad
han de golpear mi corazón
alúmbrala con esa luz
que enciende llamas
que no se apagan jamás."

Horacio Guarany

Por Celina, Fania, Simone, Greta y Catalina. Para sobrevivir. Por lo que aún falta.

Para Fernando, porque sigue creyendo en las utopías
Para Linda, Alejandra y Sebastián, que me siguen dando razones para escribir.

1. LA HORA DEL PRESENTIMIENTO

Amanecía lentamente en Coyoacán. El frescor y las tímidas luces se adueñaban de las calles empedradas, de sus macetas coloridas en las altas paredes y de las casonas coloniales resistiéndose a abandonar épocas pasadas. Francisca despierta con los tañidos de campanas de las viejas iglesias del barrio, que hoy, creía, sonaban distinto. Dulces aromas se pasean por la casa, anunciando el pan recién horneado y el hervor del café recientemente molido. Sentada en la cama, se desperezó y, sonriendo, intentó imitar el sonido de don Alfonso, el viejo afilador. *Piiiiiii…piiiii…*

Un escalofrío repentino se deslizó a lo largo de su espalda, sacudió el cuerpo y se pasó las manos por la cara intentando apartar los presentimientos. Sus amigas le decían que era medio bruja, hechicera, extraña, admiraban esos dones agoreros. Su piel le avisaba si algo extraordinario iba a ocurrir. Y, sobre todo, cuando algo andaba mal. Parecía uno de esos días. "Deben ser esos sueños otra vez" pensó. Las pesadillas con la madre muerta. Las preocupaciones por la seguridad de su querida Itzel. Pero ahora ya amanecía y todo se miraba diferente. La claridad sabe cómo espantar los demonios de la noche.

Era día de macro simulacro del sismo, siempre en la fecha del aniversario del terremoto que arrasó la ciudad en 1985. "Lo transitorios que somos", pensó al recordar una vez más donde se encontraba ese día trágico. La historia de cada año. Había viajado con las amigas a Oaxaca. Se despertó en el hostal por un leve movimiento de la cama, raro, se sintió como cayendo en una hondonada, de esos sueños donde sientes que nada detiene la caída hasta que te despiertas. Sudaba. Intentó sintonizar alguna estación de la pequeña radio que llevaba en los viajes, pero nada, era todo silencio. En una emisora de Guatemala escuchó la noticia. La ciudad había sido puesta de rodillas y ella seguía de viaje. Se regresaron ese mismo día para descubrirse tan frágiles, aunque ella no sufrió lo que sufrieron otros. Las injusticias del destino.

Hoy, la ciudad se veía plagada de camiones, sirenas de bomberos y carros policiales. Los nervios se mostraban en los transeúntes, que apenas comenzaban a pasar por las callecitas de piedra. Todos caminando rápido, para llegar a su destino antes del inicio de las operaciones.

Rumió sus presentimientos. Ella nunca había logrado entender ese extraño don que desde niña le acompañaba. Francisca se decía alguien con los pies bien puestos en la tierra, segura, ecuánime. No creía en dioses modernos o pasados, ni en supersticiones de gatos negros, lectura del tarot, cartas astrales o la borra del café. Vivía y disfrutaba cada día. Era una convencida de que moriría cuando le tocara y punto, y no creía encontrar nada después. Si la quisieran convencer de algo, ella haría lo contrario. Nunca olvidaba, era rencorosa y raramente perdonaba, una mezcla letal.

Le seguían inquietando las pesadillas de enojo con la madre, muerta al nacer ella. "Eso no se le hace a una hija". La cercanía con la muerte siempre marca y aún más cuando la vida se ha originado de una muerte. Esos sueños que parecían memorias, la transportaban de regreso a la hacienda, a reencontrarse con ella. La madre. Pensar en las circunstancias de su nacimiento y recordar los sueños, siempre la dejaban turbada. Había dos que la seguían desde siempre.

En uno veía, o creía ver, la pequeña y endeble figura de la madre entre la neblina, sola. De cabello suelto, caminaba con un vestido blanco finamente bordado, descalza en dirección a los cerros. Iba muy lentamente luciendo su avanzado y penoso embarazo. Francisca, se miraba a sí misma como una niña, muy pequeña. Escondida esperaba que pasara a su lado y volteara a verla, con sus ojos tristes y hundidos. Al final la figura materna se disolvía entre árboles cuyas ramas, cual, si fuesen gigantescos brazos, rozaban el suelo.

En el otro sueño, la madre lucía pálida y delgada, parada al lado de los rosales, frente a la casa hacienda. Una Francisca-joven la veía sin moverse. La madre le devolvía la mirada y parecía hablarle. Le extendía sus blancas manos queriendo alcanzarla, pero una sombra tenebrosa, como si fuese un espanto, abrazado a la altura del vientre, le impedía hacerlo. Entonces tomaba una rama con tres rosas rojas y cuando una pequeña espina le hería el dedo, gotas de sangre caían al suelo con tal estruendo que siempre la despertaban.

Pero los sueños eran su modo de recurrir también a sus memorias de infancia. Ahí podía respirar los olores a tierra mojada al caer las lluvias, mirar de nuevo las estrellas dispersas en el cielo escuchando las historias de su nana, Itzel, de su familia y de su pueblo, oía el rumor de los pequeños animales correteando en los árboles; refugiada en la sombra que la casa proyectaba sobre el patio, hurgaba los rincones de sus juegos infantiles. Y sentía la lluvia sobre el cuerpo, ese maravilloso placer al abrir los brazos y recibir las gruesas gotas de agua en sus palmas y rostro, y chapotear en los charcos formados por los grandes aguaceros.

Al recordar los sueños pensaba también en sus premoniciones: "desde que nacemos traemos la muerte colgando" repetía Itzel cuando le compartía las preocupaciones por su seguridad, ya le habían hecho varias advertencias. Sacudió la cabeza con sensación de incomodidad. El día apenas iniciaba y no se dejaría llevar por tonterías.

Había sentido a Andrés moverse en la cama durante la madrugada. Por la brillante luz del celular supo cuando consultó la hora y que se levantó mucho antes de que el primer brillo de sol descubriera el día. Medio dormida lo sintió cuando se preparaba para salir a andar en bicicleta, su pasión de años, también escuchó el ruido de los cajones buscando la ropa y refunfuñar al no encontrar el reloj que medía la frecuencia cardíaca y las calorías consumidas. También entre sueños, lo oyó regresar después y entrar al cuarto de baño. Pero no se movió. El sonido del agua y los ruidos característicos del ritual le recordaron cuánto amaba estar debajo de un buen chorro de agua fría. Dormitaba cuando lo oyó salir del baño, vestirse despacio y, calladamente, ponerse los zapatos. Recibió con un murmullo, ahora casi despierta, pero con ojos somnolientos, un suave beso en la mejilla, que la estremeció, luego salió y cerró la puerta del cuarto con cuidado. Entró al estudio donde se quedó algún tiempo, donde siempre leía los diarios y veía la televisión.

Andrés tenía esa capacidad de estar absorbiendo noticias de radio, televisión e internet, todo al mismo tiempo. Para ella era suficiente ver las redes sociales a primera hora y esa era bastante dosis para estar informada. Consideraba una tontera estar siempre conectada a los desastres del mundo, cuando tantos males había cerca.

Le pareció oírlo hablar en francés por teléfono, pero no supo identificar con quién; sus voces y pasos atenuados indicaron su salida a la calle. Poco después el motor del coche la puso en alerta y pensó que era hora de levantarse. Estiró de nuevo los brazos, saltó fuera de la cama y se sacudió el cabello.

—Hoy no hay ejercicios —dijo en voz alta sin ninguna culpa. El frío del suelo la hizo estremecerse de nuevo, se sacó el pijama y se metió al baño.

Rezongó al ver la ropa de Andrés tirada, se agachó y la puso dentro del canasto. Le gustaba ese canasto trenzado, traído de Zimatlán de Oaxaca en su último viaje.

Suspiró. Se vio en el largo espejo y sonrió. Sus cincuenta y tres años los tenía muy bien, un rollito por aquí y otro por allá solo le agregaban encanto.

—Al menos eso cree mi marido —pensó sonriéndole de nuevo al espejo como queriendo convencerse. Luego se subió a la pesa. Sesenta kilos. Era alta, siempre había sido delgada, y su porte se mantenía elegante a pesar del paso de los años, todo a punta de una rutina diaria de ejercicios y una dieta balanceada. No era sacrificio para ella, solo su modo de vida. Se agachó y acarició las piernas. Los sutiles anillos morados en los tobillos lucían desteñidos. Recuerdo de amores de hacía unas noches.

Se asomó por la ventana del baño, desde donde se miraba la cúpula de la pequeña capilla en la casa-hacienda del actor Emilio "El Indio" Fernández, transformada después en museo. Decían los vecinos que, por su porte, había sido seleccionado como modelo para la estatuilla del Óscar y que su padre había sido un general revolucionario. Los mayores también decían de su costumbre de salir a cabalgar en las calles empedradas, cuando aún el barrio no se había convertido en la residencia apetecida de familias de altos ingresos. "Famoso vecino el mío", pensó sonriendo.

Presionó el *play* en el pequeño equipo de música y se metió bajo la ducha, dejando el agua tibia correr sobre su cuerpo, insistiendo en sacar los pensamientos que ahora le inundaban. Cantando *Live d'amor* junto a Césaria Évora, pasó un par de minutos más deleitándose bajo el agua. Salió de la ducha secándose primero el cabello y después el cuerpo, con movimientos enérgicos. Tiró la toalla que se había enrollado antes y aplicó en la piel una crema con movimientos suaves, tal como si la acariciara. Al final se puso el poco maquillaje que usaba. La rutina de todos los días.

Antes de pasar a los juzgados, debía asistir a la presentación del nuevo proyecto para conseguir el financiamiento del centro de refugio de mujeres. Entró al armario y buscó entre las ropas de oficina.

Tomó un traje de dos piezas blanco con pequeñas rayas azules y los zapatos a juego. "Debo revisar estos zapatos", pensó viendo las decenas de cajas que aumentaban cada vez que iba de compras con las amigas, "nadie puede tener tantos, es una vergüenza".

Con una mirada al espejo por última vez, quedó satisfecha con la imagen devuelta por el cristal. A pesar de los presentimientos se sentía animada.

La felicidad en su cuerpo fue la última sensación antes de encaminarse al estudio.

Entró agradeciendo el servicio de café puesto sobre el escritorio por Mari, la chica que le ayudaba en casa desde su regreso a México. Por la tarde debía presentar el caso de Celina, la joven recién salida del hospital después de recibir una golpiza de su pareja. A pesar de los años dedicados a este trabajo, siempre le removía la sangre la crueldad de los casos y no entendía cómo algo así podía seguir ocurriendo en estos tiempos. Era una verdadera plaga la violencia hacia las mujeres. Celina era pequeña, bonita, aún no llegaba a los veinticinco años y ya tenía tres hijos con su agresor. Había estado a punto de morir.

Se sentó frente al escritorio y puso el reproductor de música. *Meu nome e Gal* empezó a sonar saboreando el primer café, fuerte y con un chorrito de espuma de leche. Mordió apenas una de las galletas. Le agradaba pasar tiempo ahí, uno de sus lugares preferidos de la casa y se convertía en su refugio en días muy movidos como el de hoy. El estudio era luminoso, de grandes ventanales de hierro y vidrio, abiertos desde temprano, que miraban al jardín. Habían hecho instalar una mesa larga de madera, ahora llena de carpetas y papeles. Dos sillones verdes de diseño moderno estaban colocados uno frente al otro. En dos de las paredes tenían estanterías llenas de libros, y las otras aparecían cubiertas con fotos de viajes, de los hijos, y cuadros de pintores mexicanos y centroamericanos.

El cuadro que más amaba era *Madres de Abril,* de un artista salvadoreño de la ciudad de La Palma. Lo había comprado en uno de sus viajes a Centroamérica. Era una pintura de formas cubistas. En la esquina derecha inferior sobresalían tres rostros de mujeres de piel cobriza, de prominentes narices y hermosos tocados en la cabeza, similares a los usados en Chiapas. Esos rostros indígenas denotaban el sufrimiento por la pérdida de las hijas, tres jóvenes en el suelo, ensangrentadas y con las ropas desgarradas, frente a un destacamento militar que, sin emoción en sus rostros, las miraban. Del lado izquierdo superior del cuadro se veía una iglesia, pintada con variados y vivos colores, y en su cúpula, una paloma con las alas al viento, parecía lista para emprender el vuelo. El centro del cuadro lo llenaban caseríos de trazos y matices infinitos. Lo veía todos los días. Lo observaba, descubría nuevos detalles y le recordaba sus compromisos. Una pequeña paloma sentada sobre un cubo de madera, también del mismo autor, estaba en uno de los anaqueles de libros.

La mesa se ubicaba de forma perpendicular a una de las estanterías de madera que iban de piso a techo, donde además tenía más objetos queridos. Una grácil hada, traída de Bariloche, colgada de una orilla, leía eternamente, sentada sobre un globo terráqueo rosado, abajo un duende la miraba leer. Junto a la paloma de colores, había colocado una familia de patos de cerámica portuguesa, varios gatos de madera y tres mates de distintos tamaños y materiales, uno traído de Porto Alegre, otro de Buenos Aires, de calabaza y con bombilla de alpaca, y el más pequeño, con grabados en plata, era de Paraguay.

Los libros, por cientos, no tenían ningún orden especial en los anaqueles, pero ella sabía perfectamente dónde estaban unos y otros. Su desorden ordenado, decía. Eran de temas variados, desde derecho penal, estudios sociales y política, hasta literatura, novelas y antologías de cuentos de los más diversos autores, de los que ella, lectora empedernida, había degustado buena parte. Siempre que podía, invertía un par de horas diarias en leer. Subrayaba cada libro, les ponía pequeñas marcas, les metía papelitos, recordatorios de frases que llamaran su atención —las netas—, los repasaba, hacía notas, doblaba sus puntas. Era de las lectoras que dejaba huellas en los libros.

La noche anterior había trabajado hasta tarde, y ahora todos los papeles parecían un gran juego de naipes sobre el escritorio. Finalmente, y después de muchos intentos, Celina estaba segura de interponer la denuncia. El juicio por su caso era seguro. Pedirían la custodia total de los niños y una orden de restricción para Macario, lo que le permitiría a ella recomponer su vida después de más de tres años de dudas.

—Es el padre de mis hijos, doctora —le decía a Francisca, cada vez que le pedía ir a la delegación de Policía.

Macario había estado tres veces detenido por las tremendas golpizas que le daba, pero Celina siempre le retiraba los cargos.

—Me pidió perdón, juró que no lo hará de nuevo —repetía segura de su decisión de absolverlo. Macario la golpeaba y ella lo perdonaba. Ella se volvía insensible a sus golpes, él se volvía insensible a sus ruegos. Ella se cubría la cara para ocultar las marcas moradas que después no sabía explicar. Era el ciclo de la violencia moviéndose una y otra vez. No era sorpresa para Celina pues la había sentido en carne propia desde muy niña y a lo largo de su vida había estado patente. Durante mucho tiempo, Francisca no había logrado convencerla de lo contrario, y si ella no quería, no habría poder humano que consiguiera un procesamiento judicial contra él.

Pero ahora, finalmente, lo había aceptado como la única manera de protegerse. Había entendido que su propia existencia dependía de lograr escapar de esa forma de vida. —Me han hecho tanto daño que no se si algún día me voy a recuperar, y tengo miedo de dañar a mis hijos —le había confesado.

—Es un criminal —le decía ella enojada, a un silencioso Andrés—, no entiendo cómo Celina permanece en esta situación, corren peligro ella y sus hijos.

Él se preocupaba al verla tan comprometida, tanto, que terminaba agotada física y emocionalmente. Desde su regreso a México, después de casi ocho años en Francia, la veía cada vez menos. Estaba totalmente de cabeza en el centro y en los juzgados. También se ocupaba de sus conferencias y el cabildeo para la aprobación de la ley para una vida libre de violencia contra las mujeres. Dedicaba todas las energías a eso y Andrés la apoyaba. Él también tenía grandes responsabilidades en su empresa.

Compartía un bufete de asistencia legal con sus socias en la vieja casa de Coyoacán, herencia de la abuela Julieta, donde también funcionaba el centro de refugio para mujeres agredidas, era una de esas casas que si se miran por fuera parecen estar abandonadas, pero por dentro sorprenden por su belleza.

El Centro de Refugio contra la Violencia, fundado por Francisca y sus amigas y excompañeras de facultad, Florence y Nitza, cada vez recibía más mujeres; la violencia era como una epidemia, y las leyes no eran lo suficientemente drásticas para enfrentarla. Desde muy jóvenes, aprendieron que no era tema fácil de tratar, y las tres debían lidiar con el miedo de las víctimas a ser revictimizadas o inclusive a ser agredidas por quienes no entendían la imposibilidad de salir de una relación de agresión. Era un miedo que las paraliza y a muchas les impedía actuar. No era fácil entender porque tardaban tanto en denunciarlos.

El centro había iniciado como una oficina de atención social, en continuidad de su proyecto universitario. Habían completado todo el proceso jurídico para convertirse en una organización legal que les permitiera operar y tener sostén financiero. Ahora albergaban a quince jóvenes, llegadas de distintas zonas de la capital y algunas ciudades del interior. Tenían algunas chicas voluntarias trabajando con ellas, pero ya estaban sobrepasadas en capacidad, por lo que no podían atender todos los casos, y se veían obligadas a buscar más financiamiento para cubrir todas las necesidades. Además, ya se habían gastado sus ahorros en la instalación de nuevos dormitorios.

Celina era una de las chicas refugiadas. Consecuencia de su última agresión, había sido ingresada al hospital con dos costillas rotas y heridas de arma blanca en el estómago y las piernas. Sus pequeños hijos entraron caminando detrás de ella sin saber qué hacer. Ahora finalmente, procederían con la denuncia.

—¡O los próximos serán tus hijos! Piensa en ellos, en cómo puedes cambiarles su vida —le había dicho Francisca otra vez, más triste que enojada. Ahora repasaba el caso punto por punto, debía ser sólido y documentado.

En el estudio, terminó de recoger sus documentos y guardó la computadora. En ese momento miró la de Andrés sobre el sillón.

—Otra vez la olvidó —murmuró, y se acercó a recogerla. Pero, antes de cerrar la tapa semiabierta como si fuera la boca de una pequeña cueva, inmóvil pero viva, que parecía invitarla a entrar, se sentó frente a ella. Tomó la cubierta y, sin pensarlo más, la abrió totalmente, y movió el *mouse*. La pantalla se iluminó y la lista de correos apareció frente a sus ojos, las letras parecían parpadear en una loca fiesta. "No debería", se dijo, una sola vez y poco convencida.

Repasó la lista de mensajes hasta encontrar el que parecía estar buscando: Gabriela Montalbán.

Le dio doble clic. El mensaje se abrió y las palabras, como pesadilla de aquellas noches que antecedieron su regreso a México, aparecieron frente a sus ojos. Y la foto, sobre todo, la foto. Su piel se erizó, sintió calor, y le ardieron las mejillas.

> Buen día querida mía… guardo tu piel en mis manos… Te beso recorriendo despacio tu geografía…

Hora del mensaje: 7.45 a.m. Justo hacía media hora. Las letras burlonas siguieron en baile frenético frente a ella.

Se derrumbó en el sillón y el tiempo pareció detenerse.

Los insistentes repiques del celular la sacaron de sus pensamientos. ¿Cuánto tiempo había pasado? Y si era él, ¿qué le diría? Era el conductor.

—Hola, Emilio. Dígame.

—Disculpe señora, el señor dejó su computadora en la casa.

—Sí, Emilio, se la dejaré acá con Mari.

Cortó la llamada con rabia. Dos segundos después sonó otra vez el celular. Se aclaró la garganta.

—Hola, Florence, estoy atrasada, ¿puedes irte directo a la reunión y nos encontramos allá?

Colgó, soltó un gran suspiro y volvió a la computadora. Seguían las letras como en una danza irónica. Le tomó rápidamente una foto a la pantalla que mostraba el dichoso mensaje, volvió a la lista de correos, cerró el equipo con fuerza y lo metió en la bolsa. Quería desaparecerlo.

Salió al *living* y se la dio a Mari, pidiéndole la entregara a Emilio.

—Otra vez se va sin desayunar —dijo Mari, afirmando más que preguntando, sin esperar respuesta.

Se despidió con un beso lanzado al aire con su mano, entró a la cochera, encendió el auto y la voz rasposa de Eric Bourdon, con *House of the rising sun,* la asustó, apagándolo rápidamente. Abrió el portón eléctrico y salió. No quería que nada ni nadie la importunara para sobrellevar, con mucha calma, las amarguras sentidas en su cuerpo.

¡Qué lejos sentía ahora las mariposas en el estómago cuando lo veía venir y se reencontraban! Y más lejanas aún las emociones y la felicidad de cuando vivían en París, los viajes para visitar a los chicos en Barcelona y Montpellier. Ahora ese sueño se iba desvaneciendo como cruel pesadilla. Tenía habilidad Andrés para herirla y que bien lo hacía. Su confianza a ciegas le estaba pasando la cuenta.

Todas las historias, todas las imágenes fantaseadas le golpeaban el cerebro una y otra vez. Manejó pensando que no podía faltar a la reunión, llegó al parque más cercano, se estacionó y empezó a caminar. Contaba los pasos intentando calcular cuántos metros había andado.

—Me hubiera gustado no leer, no escuchar, no creer. Ahora no mentía, todo era cierto. Mis presentimientos estaban cumplidos. Debo moverme —murmuraba al ritmo de sus pasos.

2. ANDRÉS

Había salido apurado de la casa. Corriendo, siempre corriendo. La noche anterior quedó de encontrarse temprano con Gabriela para la primera reunión, y de ahí seguirían juntos el resto de la jornada, aunque siempre podría haber tiempo para escaparse en el camino. La había llamado por teléfono desde casa para asegurarse que lo esperara en la entrada del edificio.

Andrés Ibáñez era el socio mayoritario y gerente general de la empresa de la familia, dedicada a la importación y exportación de productos agropecuarios. Desde muy joven había desarrollado el gusto por los negocios y ahora se movía con grandes proyectos. México tenía un puesto importante en la industria alimentaria, y se multiplicaban los mercados en Europa y Asia.

Recién habían regresado de Europa después de ocho años dedicados a expandir las actividades de la empresa. Fueron buenos tiempos para ellos, pero las necesidades corporativas lo llamaron de nuevo a México. Francisca había regresado seis meses antes, porque su trabajo en el centro de mujeres empezó a recargarse, y también su tiempo en la "Ville Lumière" se había agotado. Andrés también estuvo contento de volver antes de lo previsto.

Había nacido en el cuarenta y ocho, en la Ciudad de México, cuando aún era el Distrito Federal, era hijo de hacendados del norte, aunque nunca vivió allá. Su padre vendió la mayoría de las tierras poco después de su nacimiento, y se dedicó a importar y exportar productos agrícolas y alimentarios. Creyó que ahí estaba el futuro de los negocios y no se equivocó. Había estudiado administración de negocios en Francia, y siempre quiso mantener a los hijos vinculados a ese país y su cultura, y al francés como lengua propia. Desde la infancia era el idioma común en casa, costumbre que mantuvieron después con sus propios hijos. Al graduarse como ingeniero industrial en el Tecnológico de Monterrey, Andrés, siguiendo los pasos del padre, completó en Francia estudios superiores de gerencia y finanzas. Al terminar, recorrió Europa en moto, y gracias a ello se ufanaba de conocer algunas ciudades casi como si fuera oriundo de ellas. Al regresar a México ocupó su sitio reservado en la dirección de la empresa y se sumergió en el negocio familiar.

Como todas las mañanas, temprano había salido a andar en bicicleta. Dos horas diarias desde las 4 de la madrugada eran su rutina, solo sus viajes de trabajo le impedían subirse a ese juguete dilecto, una Trek Madone 5.9, de carretera ligera que cuidaba con dedicación. Salía en ruta con tres compañeros y un coche atrás para protegerles de penosos accidentes, como ya habían experimentado. Una cicatriz en la pierna derecha era como su medalla de guerra y la lucía con orgullo. Su primera bicicleta había sido una Sting-Ray roja, regalo traído por el padre y que usó hasta que ya fue muy grande para ella, abandonándola por un modelo más moderno y rápido. No dejaría de *cletear* por nada del mundo. Era su pasión.

Al salir siempre trataba de no hacer ruido, pero a veces era imposible. Francisca no había despertado, o al menos eso parecía, cuando él salió a su primera cita-desayuno. Mejor. Hacía días ella rumiaba algo y no sabía muy bien que era, aunque lo intuía. La amaba, pero no siempre la entendía.

Llegó al sitio de la reunión, bajó del auto y le indicó a Emilio que regresara a casa a buscar su computadora. Le intranquilizaba haberla olvidado, siempre podría ser fuente de molestias y atrasos, pero al ver a Gabriela esperándole en la puerta principal del edificio, rápidamente apartó sus preocupaciones. Estaba radiante. La miraba y aún no creía su buena suerte al contar con una chica tan eficiente como ella, trabajando tan a gusto con él. Ya eran casi cinco años juntos.

Gabriela era de cuerpo modulado, alta, morena y de pechos soberbios. La herencia indígena le daba cierto encanto, su largo y brilloso cabello la hacía parecer iluminada. A él le atraía su ambición y fuerza interior, cualidades que la destacaban de entre mujeres más hermosas. Y estaba lo de la edad. Casi treinta años menor. Esto le preocupaba, pero nunca fue un impedimento para desempeñar bien su trabajo. Gabriela lucía muy arreglada, los altos tacos alargaban más sus piernas. El traje sastre gris y la blusa de seda ocre pastel le entallaban de maravilla, creía Andrés. Un pequeño collar de perlas con aretes haciendo juego, y un bolso de cuero, completaban su *look*.

—Vamos —le dijo, tomándola del brazo íntimamente, casi acariciándola—, tenemos un largo día por delante.

Gabriela sonrió y le dio un beso en la mejilla, muy cerca de la comisura de los labios. A ella también le costaba creer su buena suerte, pero él no lo sabía. Andrés sintió un estremecimiento que lo puso en alerta.

Entraron juntos al edificio.

3. *AU REVOIR* MÉXICO

Ocho años atrás, Andrés y Francisca preparaban maletas para instalarse en París. Él se haría cargo de una de las principales oficinas de su empresa en Europa. Ella iba entusiasmada porque tendría un gran salto para su vida profesional. Se le presentaba la oportunidad de colaborar con una de las más grandes organizaciones internacionales contra la trata de mujeres. Creía que el Viejo Continente era siempre un lugar de aprendizaje.

—Tienen tantísimos programas contra la violencia y además mucha experiencia en el tema —les había dicho a las socias en un intento por disminuir la congoja por su partida. Conocería de primera mano sus avances y podría renovar contactos para lograr los nuevos financiamientos que tanto necesitaban.

Esa noche él había llegado feliz.

—Nos vamos a Francia. Esta es una magnífica oportunidad para celebrar. ¡Vamos a brindar! ¿Ponemos un poco de música? —dijo Andrés en un casi monólogo, y sin esperar respuesta, salió de la sala en busca de una botella.

Francisca encendió el equipo de sonido y puso una selección de *rock* latino, el preferido de ambos. Cuando la voz de Cerati empezó a sonar con *Cuando pase el temblor*, Andrés reapareció con dos copas en una mano y una botella descorchada en la otra, y se acercó, dando unos suaves pasos de baile, al sillón donde ella le esperaba.

Levantó la botella en una de sus poses de aprendiz de *sommelier*, aludiendo a los cursos tomados en Francia cuando estudiante y que siempre se encargaba de recordar.

—Cuando tomé aquel curso en la campiña francesa —repetía la cantaleta frecuentemente, usando su pretencioso conocimiento de vinos franceses, aunque ahora, con un vino argentino solo dijo: —es un Navarro Correas Gran Reserva Malbec 2008, vino paradigmático, de estilo elegante y complejo, el mejor de Argentina. Dejarlo reposar, es el secreto —terminó el ceremonial, sonriendo. A continuación, olió el corcho, y le dio a oler a ella. Después, en un borde anotó la fecha, 5 de agosto 1997, y más abajo la palabra "Francia".

Se sentaron juntos y después de unos minutos de besos y de reconocer sus cuerpos, se sirvió un poco de vino, acercó la copa a su nariz, cerró los ojos, olió el líquido de color tinto y sabor robusto y tomó un trago.

—Un vino extraordinario —dijo, completando el rito con otra de sus frases preferidas. Le sirvió entonces a Francisca. —Pruébalo, te va a encantar.

Ella, cerrando también los ojos, lo olió. Acercaron las copas y sonó el cristal, como un recuerdo de cuando fueron novios y soñaban con una larga vida, juntos y felices. Los cientos de tintines seguían repitiéndose puntualmente. En especial ahora. Tomaron un poco más de vino y sonrieron. Se besaron.

—Un beso envinado, como dice Florence.

—Nos vamos a Europa —repitió él, mirándola de frente, buscando su aprobación y reconocimiento.

Francisca, Florence y Nitza, amigas y ahora socias, eran abogadas graduadas de la Iberoamericana, universidad jesuita de gran prestigio en carreras sociales. Después de completar sus estudios se separaron por corto tiempo, hicieron sus especializaciones e iniciaron carreras en distintos bufetes de abogados.

Las tres habían compartido la vida desde muy jóvenes. Primero, con las locuras propias de la edad, los pesares de los amores desdeñados, la introducción a la mota, la locura por las ropas y el desarrollo de sus cuerpos. Y después, con la preocupación por los males del mundo, desde el suyo cercano, el trato a los indígenas, los migrantes, las presentes injusticias, hasta la violencia hacia las mujeres, cruel fenómeno en crecimiento y sin luces para solucionarlo. Ahí perdieron la inocencia y entraron a la adultez.

La más apasionada era Florence. De carácter fuerte, atraía tanto por una hermosa cabellera rojiza en contraste con su piel morena, como por sus largas peroratas políticas. Primero en el colegio, y en la universidad después, destacó como dirigente estudiantil. Era hija de un prestigioso abogado y político fulgurante de uno de los partidos tradicionales del país, y así parecía destinada a asumir su herencia. A pesar de la férrea oposición de la familia, no siguió los pasos del padre y se decantó por el servicio social. Fue su primera gran batalla y la ganó. Era soltera y había decidido no tener hijos. "No estamos para andar trayendo niños a este mundo", decía cuando de manera insistente la cuestionaban por sus opciones de vida.

También fue Florence la más entusiasta por iniciar el grupo de ayuda a mujeres afectadas por la violencia. Ella misma había sido víctima de abuso sexual, pero su historia no trascendió las paredes de la familia, pues según la madre, no era conveniente para la carrera de su padre, que se difundiera. En eso se equivocó y esta decisión la alejó de la hija, que tuvo que manejar sola ese dolor profundo y la hizo más fuerte.

Florence tenía dieciséis años cuando fue asaltada en un callejón cercano a su casa en la colonia Roma. De regreso de una fiesta se había quedado rezagada del grupo de amigos que volvían caminando. Sus gritos les alertaron. Esa noche la realidad la golpeó abruptamente. La experiencia le ayudó a entender después la vida de las mujeres maltratadas. Años más tarde se especializaría en la defensa y apoyo sicológico de jóvenes abusadas, y lo haría de modo vehemente. También se haría una fanática del *kickboxing* y el yoga, a lo que le dedicaba todos sus espacios libres y siempre cargaba en el coche los implementos necesarios. Aunque era extremadamente delgada, su cuerpo mostraba los efectos de los rigurosos ejercicios a los que se sometía.

Nitza, la más joven de las tres, era hija única. Fue criada por su madre, quien viuda a muy temprana edad, no quiso volver a casarse y se dedicó a su empresa. La crió para ser independiente y aunque no lo necesitara, le enseñó también la importancia del trabajo. Nitza había colaborado desde el segundo año de la carrera en una organización de apoyo a niñas de la calle. Ahí había conocido a su esposo, Daniel, fotógrafo reconocido en el medio que les ayudaba en las campañas de difusión del centro. Era baja, muy delgada y de piel blanca, como transparente. Parecía frágil, pero era pura apariencia. Tenía una fuerza profunda. Su cabello negro muy liso, lo llevaba cortado de tal modo que le perfilaba el rostro dándole una nota de seriedad. Había heredado su nombre y una pequeña fortuna del abuelo paterno, un comerciante israelí que había llegado a México después de la primera gran guerra. Ahora Nitza esperaba el momento de usarla en lo que consideraba debía ser su aporte a la sociedad.

Francisca era hija única de Carlos y Esperanza. Al igual que las amigas, había sido educada en los mejores centros, hablaba fluidamente inglés y francés. Al terminar la carrera, y después de un año de trabajo voluntario como abogada de la Red Jesuita con Migrantes, partió a Estados Unidos, donde completó la maestría en derecho penal. Su familia siempre deseó que se quedara allá, pero ella nunca tuvo intención de hacerlo.

—No me gusta Estados Unidos para vivir, es un país frío, carente de alma o lo que sea que da la vida. —Así, al terminar su ciclo académico y un año de prácticas en un bufete especializado en migración en Los Ángeles, sin dudarlo, regresó a México para instalarse en su amado barrio, Coyoacán. Tomó posesión de la vieja casa heredada de la abuela Julieta y la remodeló. La distribuyó en dos espacios, ambos con salida a la calle, y dejó libre el amplio patio del centro. El local más chico lo habilitó como su vivienda, y en el otro instaló la oficina donde reinició la sociedad con Florence y Nitza, perfilando el centro de acogida para jóvenes mujeres.

Cuando se reencontró con Andrés, Francisca venía de un quiebre tras una larga relación amorosa que todos pensaron terminaría en matrimonio. Para ella no fue problema la separación porque no se miraba casada o establecida con una pareja, aún era muy joven y tenía sus compromisos con el centro, que recién lo estaban instalando. Ese día, Andrés, después de un largo paseo, se encaminó a una de sus cafeterías preferidas, de las que languidecen en el barrio, pequeñísimas pero muy acogedoras, con deliciosos pastelitos y mejor café y por suerte aún no descubiertas por los turistas. Al verla tranquila, leyendo en una mesa diminuta en la acera, no tuvo dudas de que fuera ella, pero prefirió no acercarse en un primer momento. Finalmente se decidió.

—Francisca Izaguirre, *avocate de juste cause*.

Alzó la cabeza y al verlo cerró el libro y le sonrió. A él le parecía más delgada de como la recordaba. Sus ojos sorprendidos lo miraban y él quedó como cortado. ¿Qué había pasado con ella que ahora lucía tan diferente? Francisca se recostó en la silla y extendió los brazos.

—Siéntate, ¿cómo estás? ¿Cuándo fue la última vez que nos vimos?

Andrés, sonriendo y sin esperar más, se sentó enfrente. La joven camarera se acercó y le preguntó si iba a tomar algo.

—Sí, por favor, doble espresso con un toque de espuma de leche —su café preferido, servido en una taza pequeña con leche cremosa batida. Lo había incorporado a sus preferencias después de su viaje al sur de Francia donde lo probó por primera vez, aunque decían que la forma de servirlo era de origen australiano. Pero nada de eso le comentó, podría ella considerarlo un *snob*. Era lo último que hubiera querido.

—No fue en la fiesta de bienvenida de Florence? —dijo él, recordando que quiso sacarla a bailar y al final no se decidió. Cuando la buscó ya se había marchado. Hubiera sido la ocasión propicia para reiniciar la relación en ese momento. —El destino no lo quiso así —dijo ella y tuvo que pasar más tiempo hasta reencontrarse en la cafetería.

—Sí, —le dijo ella—, fue ahí —recordando haberlo visto y no poder decidirse a acercarse. Ahora le parecía mayor, más serio. Estaba cambiado.

Francisca jugueteaba con la cajita de azúcares edulcorantes, junto a un par de flores casi marchitas, al centro de la mesa. Al retirar la caja sus manos rozaron y ambos rieron. Los buenos recuerdos vuelven rápido.

Juntos llamaron la atención de transeúntes y los pocos clientes del local. Ella, con el cabello rubio grisáceo peinado en un moño revuelto, coronado con dos cintas rojas, un huipil largo blanco y altas sandalias de finas tiras. Él, con el cabello negro rizado desordenado hasta los hombros, una chaqueta de lino azul, *jean* desteñido y mocasines sin calcetines. Ella, con la taza con restos del capuchino, que acostumbraba tomarse lentamente, asiéndola con las dos manos con sus dedos cruzados, sin azúcar, sin canela, sintiendo la tibieza de la bebida. Llevándola a sus labios, olía el aromático líquido y lo sorbía poco a poco, primero la espuma, después el café. Francisca se acomodó unos mechones de cabello detrás de la oreja. El instante de magia seguía entre ellos.

Andrés le relató de sus escapadas en moto por Europa, de la vuelta a la realidad y las presiones de la familia para hacerse cargo de la empresa, de sus inseguridades al hacerlo, tener que ser buen hijo y mejor empresario. Ella le compartió de los compromisos en el centro, le habló de sus constantes sueños con la madre, y de cómo le hubiera gustado compartirle los planes con las amigas, el miedo de olvidar su rostro y cómo agradecía a Itzel, su querida nana, que seguía viviendo con ella, y era la guardiana de sus memorias. También le contó de su padre, que nunca se volvió a casar y aún vivía en la hacienda, el dolor de la muerte de la abuela Julieta, y el sueño mayor de poner en operación el centro y el refugio. Y así continuaron toda la tarde. Y las otras tardes.

Se habían conocido desde muy jóvenes y tenían varios amigos en común, pero nunca habían sido pareja. Se encontraban de cuando en cuando en fiestas y reuniones. A ella le atrajo en algún momento, le parecía interesante, muy seguro de sí y tremendamente inteligente, hablaba por horas de política nacional y mundial, como si fuera su objeto de estudio. Pero lo suyo eran las empresas, el mercado, los clientes, aunque estos no fueran temas interesantes para conquistar. Sabía también de artes y de ciencias, y se movía de un tema a otro como pez en el agua. Además, había leído muchísima literatura, igual que ella.

Después de esa tarde la imagen de ella pasó a ocupar un espacio importante en la memoria de él. No supo bien por qué. Tampoco se explicó por qué al despedirse ese día sintió un vacío irremediable. Pronto iniciaron un breve e impulsivo noviazgo. Y no se volvieron a separar. Desde el primer momento, él le dijo que la amaba, y ella se apasionó por él. Compartían el amor por las bicicletas y el *trekking*, recorrieron juntos los cerros y refugios de montañas cercanos a la ciudad.

El matrimonio se realizó seis meses después del reencuentro, en la pequeña oficina del delegado de gobierno de Coyoacán. Una ceremonia sencilla donde acudieron los padres de Andrés, su hermano Arturo, el padre de Francisca, su nana Itzel, y sus dos mejores amigas, Florence y Nitza. Hicieron una celebración íntima en la casa de Coyoacán. La cena fue muy a la mexicana, se sirvió aguachile de camarones con chile serrano, chilpachole de jaiba con chile jalapeño, y para cerrar, carne a la tampiqueña. Acompañado de champán, vino y tequila. Al final el grupo dio un paseo por las calles empedradas del barrio como restando importancia a ese acuerdo formal de su relación.

En todo lo que hacían se comprometían y habían sido marcados por la fuerza y el ímpetu. La amaba como la mujer única que era, cálida, sincera y frontal. Su belleza exterior se correspondía con su fuerza interior. Se extrañaban y se recibían con la piel sensible por la espera. Eran sedientos permanentes, sin prever el futuro, sin temor al final que puede acarrear disgustos. Sus encuentros eran apasionados, se buscaban al finalizar cada día para terminar tirados en la alfombra, tomando vino y redescubriendo sus cuerpos. Él la, recorría cada parte, cada cicatriz, —la del cuello al caerse de un árbol, la de la pierna al meter el pie en la rueda de la bicicleta, en especial la de la espalda en forma de S cuando a los 7 años se cayó de un caballo—, pasar la mano por la curvatura de sus muslos, sentir la suavidad de su cuello. A ella le gustaba ser seducida con sus caricias, a veces fuertes, con sus dedos perdiéndose entre sus pliegues, recorriéndole el cuerpo, transformando su rostro al contacto con la intimidad.

Ella no quiso salir del barrio y a él le gustó la idea. La casa heredada de la abuela, donde había vivido hasta entonces, la dedicó totalmente al centro. Se instalaron ahí mismo en Coyoacán, en una vieja casa comprada con sus ahorros y obsequios de ambas familias, y se dedicaron a arreglarla entre los dos, la decoración mostró partes de cada uno, en cada pared y en cada rincón. Máscaras, ángeles, alebrijes, jarrones, lámparas antiguas, cuadros modernos, pinturas tradicionales y por supuesto, Francisca se llevó su pintura salvadoreña, y la colocó en un lugar visible del estudio instalado frente al patio. Los libros estaban por toda la casa, política en un rincón, derechos humanos en otro, ensayos, novelas y antologías de cuentos escritos por mujeres. La casa la mantenían llena de flores y era fiel reflejo de ambos. Itzel se quedó a vivir con ellos.

Con el primer embarazo, le volvieron las premoniciones y pesadillas con la madre muerta.

"La veo pasar lentamente, mi madre, tan blanca y delgada, caminando torpemente como una libélula recién aprendiendo a volar, con su barriga grande, descalza y cubierta con una especie de rebozo de seda. Siento su mano en mi rostro y ella mira que yo le hablo, pero no alcanza a oírme."

Se despertaba llorando abrazada a él. Los sueños le ahondaron el miedo a morir en el parto y se le hizo muy patente, a pesar de que los médicos le aseguraban que todo iba bien, como efectivamente lo fue.

"Durante el día soy feliz pensando en este hijo que vendrá a completar nuestras vidas, pero temo a las madrugadas, cuando despierto de ese sueño con mi madre, me muevo entre vigilia y conciencia, y la veo viva de nuevo".

Soñaba con ese sufrimiento y al despertar la angustia permanecía, creyendo que pasaría por un similar momento de dolor, Andrés la calmaba. La conciencia del despertar y el transcurrir de la vida cotidiana le traían la tranquilidad y la hacían olvidar sus estados oníricos, pero las premoniciones y reiteradas pesadillas con la madre embarazada solo la abandonaron por completo después del nacimiento del segundo hijo.

La noche del brindis, antes de la partida a Francia, cerraban en esa casa un ciclo de vida y celebraban el inicio de otro. Él le sirvió más vino y brindaron de nuevo. Ahora, Beth Carvalho llenaba la habitación con *Vou festejar*.

Se levantó a bailar sola, descalza. Daba vueltas y su larga falda se movía detrás de ella, y él, con una copa de vino en la mano, la observaba sonriendo. Había aprendido a bailar samba en un viaje a Río de Janeiro, ciudad que amaba. Fueron suficientes solo dos clases con bailarines callejeros para lograr dominar los movimientos de la *samba no pé*, los movimientos de brazos y caderas y, sobre todo, de los pies, uno hacia atrás y el otro hacia el frente con la pierna doblada ligeramente en la rodilla. Parecía una experta.

Jobim, Gal Costa y las notas de *Aguas de março: São as águas de março fechando o verão, é a promessa de vida no teu coração*, la impulsaron a bailar cada vez a mayor velocidad. Él la miraba apasionado, conteniendo las ganas de tomarla en sus brazos y tirarse con ella en el suelo. En esa época llevaba el cabello castaño, cortado recto hasta los hombros. Con sus piernas largas, y exhibiendo una seguridad absoluta, atontaba a más de alguno. Esa noche sus cuerpos se reencontraron como en los viejos tiempos. Él se acercó a ella suavemente, y ella le dejó hacer.

—Quiero verte desnuda —le susurró al oído.

Ella no le contestó y se fue quitando la ropa, atendiendo las urgencias de Andrés. Sus cuerpos se conocían, pero cada vez que hacían el amor era como si se descubrieran. Francisca se dejaba ir, y él sabía dónde colocar las manos para prodigarle el mayor placer posible.

—Te amo —le dijo. Él la siguió besando mientras Joe Dassin susurrando *Et si tu n'existais pas*: "parecería yo, pero no sería yo", le cantaba a los amantes. Esa noche era distinta, el brindis era una despedida de la vida como la conocían. Querían recuperar la memoria guardada, y la piel de Francisca, más sensible que nunca, recibía las caricias como una jovencita. Sentían su enamoramiento y disfrutaban la excitación. Era una noche especial y así la estaban viviendo. El deseo en sus cuerpos crecía, y la piel reclamaba su atención total.

Un sutil acuerdo de arrebatos sensuales acrecentaba la mutua excitación. Francisca había descubierto su capacidad de disfrute en el dolor sensual y ambos se sorprendían usándolos para vivificar sus íntimos enlaces. Él gozaba con la sensación de sentirse descubierto por ella, de revelarse a ese momento de dominación, de placeres ocultos. Entonces, se mostraba tranquilo, casi frío, como sin interés de ser seducido. Se entregaban en frenéticos y alocados movimientos, ninguna experiencia les era ajena, no se ponían límites en manifestarse. Podían probar todo y se dilataban sus noches de pasión. Había placeres que lindaban con el dolor, un tacto liviano contra un cuerpo febril domado con sus manos.

Disfrutaba cuando Andrés se tomaba todo el tiempo para atarla con cintas de seda mientras la acariciaba, la halaba de los cabellos hasta emitir un suave quejido indicando cuando había llegado a su límite. O jugar con él y su mirada al atarlo después y colocar un pañuelo sobre la boca impidiéndole soltar sonido alguno, solo los gemidos de placer que ella premiaba con tirones de cuerdas antes de ser poseída con la fuerza que dominaba todo. Le gustaba tenerlo a su merced, que le rogara para desatarse y completar el acto de sumisión total. Sentir esa simetría de dulce violencia, uno con la otra, sin temor a lo que pudiera pasar después, esa antecesora de la pasión, su peso sobre ella, una mezcla de certeza y amor con una falta de libertad y movimiento, el ardor en las amarras. Y esperar la explosión en sus piernas. Confiaba en él y en la forma como llevaban su relación y estos juegos se habían convertido en parte importante de ella. Todo manejado, todo controlado, aprendiendo a identificar los riesgos y parar en sus límites.

Ella también creía en los cambios. Solo podía ser para mejor. Sus dos hijos hacían sus vidas en Europa. Desde niños los impulsaron a ser independientes y les habían inculcado el amor y las ventajas del Viejo Continente. Carlos, el mayor y más cercano afectivamente a la madre, estudiaba arquitectura y urbanística en Barcelona y trabajaba como pasante en un estudio de arquitectos. Pablo, después de una intensa residencia artística en Milán, impulsaba su carrera de pintor en el sur de Francia. Sus cuadros ya se vendían en ciertos círculos y un galerista independiente le había ofrecido representarle. Ambos tenían su propia renta, modesta, pero les permitía no depender totalmente de sus padres.

Ninguno tenía intención de regresar a México. A pesar de eso, Francisca mantenía sus habitaciones como cuando eran estudiantes de colegio. Los armarios con sus perfectos uniformes, los lienzos de Pablo y sus obras inacabadas, las primeras maquetas de Carlos y las viejas botas de ambos con las que salían a dar largos paseos cuando eran niños, las pelotas, las raquetas de tenis, libros, fotos.

Itzel, su madre sustituta y compañera inseparable, decidió no acompañarles en su nuevo destino. —Ha llegado el fin de mi tiempo contigo mi niña, debo regresar al pueblo —le dijo una tarde. Ella sabía que ese día habría de llegar. Con las amigas y socias se organizarían para seguir operando el centro, con ella lejos. Volvería de cuando en cuando para apoyarles, dar seguimiento a los casos y para ver México, su ciudad caótica y compleja, de la cual estaba irremediablemente enamorada.

En la casa, Francisca y Andrés yacían abrazados en el amplio sofá, mientras las notas de una triste pieza de jazz seguían sonando.

4. PARÍS *MON AMOUR*

Los primeros años en París fueron casi perfectos. Andrés parecía siempre entusiasmado con múltiples proyectos de la empresa, y Francisca trabajaba en la organización contra la trata de personas. Recién llegada, centró su esfuerzo en buscar un departamento adecuado, rentarlo y darle su *touche personnelle*. En un mapa dibujaron un triángulo donde se ubicaban los sitios atractivos para vivir. Le impresionó la cantidad de edificios remodelados incluidos en los planes para modernizar antiguos barrios, ahora transformados en bloques de departamentos.

Durante dos semanas los recorrió con Nadia, la chica de la inmobiliaria, analizando diversas opciones. Era de padre marroquí y madre francesa, recién egresada de la universidad con un título de filosofía.

—Que de poco o nada te va a servir —le había dicho la madre al graduarse.

Y como si fueran palabras premonitorias, Nadia debió dedicarse al negocio inmobiliario, floreciente en esos años. En las semanas que pasaron juntas, le contó su historia, tan común con la de miles de mujeres jóvenes debiendo ocuparse en algo distinto a lo que habían estudiado. Quiso entrar a trabajar en la universidad, pero las plazas eran pocas y muy reñidas. Se decidió por lo más fácil y de mejor ingreso.

"Seguro le gustaría a Andrés. Es muy joven, guapa, con esa piel color chocolate y lustrosa, mirada sagaz y muy creativa" pensaba convencida en sus charlas de café de la tarde, sonriendo ante ella.

Casi finalizando la segunda semana de búsquedas encontró el departamento. Era exactamente lo que ella quería, y aunque podría haber visto muchos más, en cuanto lo vio supo que era el elegido. Hizo rápidamente su oferta económica y acordaron las fechas para la firma del contrato. Su menaje de casa llegaría en barco desde México y si les faltara algo lo comprarían en los mercadillos en las afueras de París, donde gozaba tanto de perderse entre sus calles y seleccionar muebles y adornos curiosos.

El departamento quedaba muy cerca del *boulevard* Saint-Michel, en uno de los edificios frente al Sena, razón principal para escogerlo. Los pisos eran de madera y crujían cuando caminaba descalza. Una amplia y luminosa cocina con un mesón central, sobresalía en todo el espacio social, y dos dormitorios de altos ventanales se abrían al salón. En el más chico, instaló su estudio. Allí trabajaría durante horas en nuevas ideas y planes para el centro en México. Desde ambas alcobas se podía apreciar la hermosa vista, y a ella le maravillaban esas tardes de otoño cuando el sol, teñido de rojos, naranjas y azules, se desplazaba como en volutas, mezclando sus luces, posándolas en el piso, tocando el techo y los muebles, como buscándola para, al llegar a ella, reflejarse sobre su cuerpo.

En esas primeras semanas, descubrió cafés, librerías y callecitas, museos, palacios y eternos parques. Fue como tomarse vacaciones redescubriendo esa ciudad querida. Su rutina diaria incluía bajar al café a pocos pasos de su edificio, llevar un libro —de los muchos que ya colmaban sus estanterías— y la computadora. Ahí podía permanecer horas en las mañanas leyendo o escribiendo.

—Eres genial —le dijo Andrés una de sus noches—, tu piel parece palpitar entre mis manos —y a través de las palabras, ella sentía palpitar su piel también. —Te moldeo, te dibujo —le decía mientras apretaba sus puños, y Francisca sentía cómo su cuerpo se tensaba al oírlo describir esos momentos de placer. A veces sentía dolor, pero lo valía. Placer y dolor. Recordando parecía ensimismada en sus memorias.

"Yo respondo al sonido de tus palabras, deleitándonos de nuevo con tus manos amplias recorriéndome, empujándome, llevándome al límite, me dices lo que te hago sentir en tus palmas…es insostenible, tómame, cúbreme con tus deseos, hazme daño si quieres, piénsame, llévame a nuestro lecho".

—*Mlle Francisca, n'oubliez pas votre vin* —la voz de Daniel, el chico de la tienda, la sacó de sus pensamientos y una sonrisa enigmática se dibujó en su rostro recordando esos momentos. Le gustaba conversar con los jóvenes que atendían los locales, muchos de ellos hijos de migrantes africanos, que estaban cambiando el rostro de la juventud francesa, volviéndola más diversa. Y divertida. Disfrutaba también volver a comunicarse en su casi perfecto francés. En esas primeras semanas ya conocía el barrio, saludaba a las personas por su nombre, y compraba el pan, los vegetales y el vino, en las pequeñas tiendas de los alrededores.

Recorría las calzadas. Le divertía decidir dónde y cuándo entrar en las pequeñas librerías de esos edificios recién restaurados. Recorría los barrios en plena actividad de reconstrucción, donde los obreros le enviaban silbidos y piropos haciéndola sonreír sin sentirse agredida. Todo indicaba el *boom* inmobiliario en la ciudad y la vida seguía transformándose. Podía visitar museos y sus interminables espacios, mirando una y otra vez pinturas y esculturas. Se recreaba en ellas y quería memorizar cada una y sus autores, admirando obras en las galerías de arte y de los pintores callejeros por igual, participando de la alegre algarabía de los estudiantes en las calles.

A veces se subía al Metro y descendía en alguna estación para pasear por las grandes avenidas, entrar en su dinamismo y sentir y saborear esos olores cargados de ajo y romero. No dejaba de admirar los edificios y la majestuosidad de los árboles cuando caminaba por las plazas. Bajaba por las callecitas al río Sena, se sentaba en alguna banqueta y la música y ruidos cercanos, la llevaba al siglo pasado con sus noches lúgubres y su música de suspenso. Hasta le parecía ver a Jean Valjean huyendo de su némesis, el inspector Javert, o a Gene Kelly bailando con Leslie Caron *Our love is here to stay,* en la eterna *Un americano en París.*

—Sí que esta ciudad es mágica —se decía sonriendo de sus ocurrencias. Se sentía como en una postal turística, y a veces tanta felicidad la acongojaba y sufría con un sentimiento de culpa.

Esos primeros días fueron para ella un eterno descubrir, y para Andrés la oportunidad de familiarizarse con los negocios. Todo les parecía nuevo, todo era distante, maravilloso.

Al menos una vez por semana, Francisca lo arrastraba a comer a alguno de los pequeños restaurantes que poblaban la ciudad.

—Ahí me comí el mejor *croissant* de mi vida —le decía, señalando el Café de Flore, y se le iluminaba el rostro al describirlo—, no puedes perderte esa suavidad y dulzura de las masas, es como si te explotaran los sabores en la boca —decía, pasándose la lengua sobre sus labios recordando la última vez que los había probado, y queriéndolo convencer de volver a la cafetería. Andrés le sonreía y la empujaba suavemente al Deux Magots, uno de sus sitios preferidos para tomar una copa de champán, antes de la cena en la Brasserie Lipp, a la que se hicieron asiduos. Había sido uno de los placeres compartidos, y algo similar harían después en México, recordando ese tiempo en París.

Dos meses después de instalarse, dejó sus caminatas y días de relajo y comenzó su trabajo en la "World Organization Against Trafficking in Persons". Desde México había concertado una alianza con ellos, y esto la tenía muy entusiasmada porque la obligaría a sumergirse en los temas que la apasionaban. La WOATP, como era conocida, trabajaba contra la trata de personas, en especial mujeres, niños y niñas, que seguían cayendo en manos de traficantes, para explotación sexual y trabajo forzoso. La esclavitud moderna oculta. La organización estaba formada con profesionales del derecho y del trabajo social, además de decenas de jóvenes voluntarios que se multiplicaban en la oficina. Francisca se consideraba una privilegiada por tener la oportunidad única de estar viviendo esa nueva perspectiva laboral, y seguir contribuyendo a que las voces de las mujeres fueran escuchadas y sus denuncias procesadas por la justicia. Era un largo camino.

El trabajo de Andrés le hacía salir de viaje con frecuencia, principalmente a capitales europeas vecinas, y cada vez le insistía que fueran juntos.

—Sin ti, no sabré qué hacer —le decía, sabiendo que solo eran palabras dichas al aire. Cuando se decidía a acompañarlo, salían de noche, caminando del brazo. Se sentaban en algún café o en un bar a disfrutar de una copa de vino, o se inventaban una cena en sitios alejados. Eran momentos de intimidad y complicidad. También se organizaban para visitar a los chicos, y las breves visitas a Barcelona o al sur de Francia eran momentos de felicidad plena. Al tomar más compromisos con la WOATP, su presencia en los viajes con Andrés disminuyó.

Ambos disfrutaban discutir sobre libros. La abuela Julieta le había heredado a ella el gusto por la literatura. Cada vez que podía le regalaba novelas. De niña le leía en voz alta, las dos acostadas repasando las historias juveniles, y de adolescente analizaban juntas las obras leídas. Itzel siempre escuchaba atenta. Andrés se decantaba por novelas de acción y crímenes, y Francisca era capaz de mantener el interés simultáneo en una clásica y una nueva superventas.

—Después me haces el resumen —bromeaba él al encontrarla leyendo tremendos libros sentada en su rincón preferido, tan inmersa en la lectura sin percibir su llegada, y no era hasta que se acercaba a darle un beso cuando ella notaba su presencia.

—No te sentí llegar —le decía antes del suave reclamo por su falta de atención, para después comenzar sus noches habituales.

—Hoy iniciamos el proceso de contratación para el manejo del nuevo sistema de mercadeo en la oficina —le dijo un día, casi tres años después de haberse instalado en París—, es un puesto importante. Queremos contratar algún mexicano que ande por estos lados, pero no sé si lo conseguiré, si no deberemos recurrir a mano de obra local —concluyó riéndose.

Su rostro se iluminaba al sonreír, y él amaba esa luminosidad. Parecía siempre tan tranquila, tan suave, su imagen no se correspondía con el duro trabajo que había escogido, pero ella parecía crecerse cuando debía defender a esas mujeres vulneradas, de cuerpos lastimados. Sacaba fuerzas de donde no parecía tenerlas y su semblante de rasgos suaves se volvía casi pétreo. Francisca no parecía tener sitio en esos espacios de dolor, sin embargo, se manejaba profesionalmente y no se veía haciendo nada distinto. Él la respetaba y la apoyaba sin dudarlo.

—¿Y a ti cómo te fue?, ¿tuviste tu conferencia con las chicas? — refiriéndose a sus socias que, desde México, siempre reclamaban su tiempo.

—Sí, estuvo bien —respondió—, repasamos muchos temas. La mala noticia es que deberé volver allá en un par de meses para arreglar varios asuntos—. Aunque arrugó la cara, sabía que era parte del acuerdo de su nueva vida y siempre le entusiasmaba volver.

Cenaban juntos casi siempre, con el acuerdo que quien llegara primero cocinaba. Esa era casi siempre Francisca, y lo disfrutaba. Para las demás labores hogareñas en el departamento habían contratado por las mañanas a una joven argelina migrante, llegada con su madre hacía más de cinco años. Ambas, madre e hija, trabajaban limpiando viviendas, y la joven estudiaba por la noche.

Sus reencuentros después de los viajes eran como premios a la separación. Esos distanciamientos les ayudaban a mantener la frescura de la relación de los primeros años. En la alcoba, sus cuerpos volvían a buscarse. Parecía que la vida en París los había renovado, y el sutil encuentro apasionado casi rayando con el dolor crecía en placer. Y en riesgo.

La abrazaba fuertemente mientras acariciaba su piel. Ella respondía a sus manos, se rendía a sus brazos, dispuesta a probar, sintiendo cómo se transformaba. Con sus palabras y sus caricias, Andrés iba descubriéndola nuevamente, y también se entregaba con fuerza, sintiendo cómo aumentaba su placer. Ella lo sentía y se separaba, le miraba los ojos brillantes y excitados, o lo abrazaba y se acercaba de nuevo, queriendo sacar de su cuerpo las caricias dolorosas que después le dejaban pequeñas marcas de esas manos que a veces le parecían extrañas.

—No cambiaría este momento por nada —murmuraba él después de horas de pasión compartida, antes de caer rendidos de sueño.

5. UNA INFANCIA DISTINTA

—Itzel, Itzel—, llama la madre. La niña morena, de rostro sonriente sale corriendo entre los arbustos que lamen el río en respuesta a esa voz que la hace salir de sus ensueños. Hoy imagina ser una astronauta que viajaba al espacio, ayer era una doctora que curaba enfermedades peligrosas, pero había días más y días menos cuando solo jugaba a ser la nueva curandera del poblado terroso y de pobres casas, donde vivía con sus primos y primas. Desde temprano habían bajado al río, porque hacía una semana que no se aparecía la maestra del multigrado donde se apiñaban niños de diversas edades para intentar aprender. A veces en el frío del invierno y otras en el extremo calor de ese verano que no parecía querer irse.

Itzel, 10 años, dos gruesas trenzas amarradas con cintas rojas sobre su cabeza, corre al encuentro de la madre que la reclama. —Debes ir a la casa de don Efrén a recoger los hilos que me trajo de la capital —mostrando un embarazo de casi seis meses, recostada en la puerta desvencijada del rancho donde viven junto a los abuelos, el tío Polo, su hijo Itzán, el primo amado de Itzel y cómplice en sus andanzas. —Los hilos, los hilos, —piensa Itzel, sacudiéndose de la ropa las hojas y ramas que lucía en ella. Los hilos que deberán poner más tarde a teñir, a ordenar, a colocar en los telares donde harán las alfombras y otras piezas que irán a vender al mercado del domingo. Si logran vender bien, la madre le podrá comprar nuevos zapatos para dar su primera comunión en un mes, que para eso se ha preparado en la iglesia con el padre Bernardo y doña Matilde.

Corre Itzán detrás de Itzel a la casa de don Efrén, una de las pocas construcciones de ladrillo del poblado, que les esperaba con agua de limón, y la degustan al tiempo que el señor va colocando los hilos en una caja, contando las piezas y anotando en una hoja que después pone arriba de los hilos, cierra y amarra las tapas.

El río bordea la aldea, y por ahí caminan de regreso los dos niños, Itzán trae la caja sobre su cabeza, Itzel le sigue muy de cerca, hablando, contando alguna historia de como se convertirá en curandera y sabrá sacar los secretos de los árboles y las hierbas de la orilla del río. Le cuenta del hermano que pronto nacerá, de como le enseñarán los secretos del río. Aun no sabe Itzel que será el último intento de la madre para tener otro hijo y que ella misma tampoco los tendrá. Las fuentes de agua contaminadas podrían ser las causas, pero nunca lo sabrían con certeza.

Dieciocho años antes de llegar a la casa hacienda La Esperanza, Itzel García había nacido en San Miguel Huamuxtitlán, en el estado de Guerrero. Su madre había estado a punto de morir en el parto de dos días, ayudada por las manos sabias de tres mujeres curanderas del pueblo. Sobaduras, sahumerios y cantos le acompañaron esperando que naciera la niña que años después sería la madre india de Francisca. Su abuela rezaba frente a las decenas de imágenes que adornaban una mesita arrimada a una pared de madera, llenas de flores artificiales, cintas coloridas y vasijas con humos que ascendían en el encierro ya atosigador del rancho. La madre aguantaba estoicamente con la ayuda de las mujeres, mientras los hombres sentados afuera hablaban del cambio del clima, de la sequía recurrente y de la cosecha que no alcanzaría para la venta y la comida. Los niños, casi desnudos y sucios, retozaban en los alrededores, inocentes de lo que pasaba cerca de ellos. La pelota desinflada se deslizaba entre sus pies descalzos y corrían detrás de ella, pateando e intentando alcanzarla. Una gran olla burbujeaba frente a la puerta del rancho y dos jovencitas removían y probaban su contenido, un animal salvaje cazado la noche anterior que con sus olores animaba la reunión celebrando la llegada del nuevo miembro de la familia. Dos días después un llanto fuerte y sonoro llegó a los rincones de las chozas vecinas.

Nació Itzel, dijeron. La madre se había encargado de asegurar que sería una niña y que ese sería su nombre. Como su mejor amiga, que había sido arrastrada por la corriente del río el día que cumplió doce años. Se lo prometió. Itzel sería su única hija. Noble, alegre, conocedora de la sabiduría de su pueblo, segura y firme, como la abuela. Un día no muy lejano haría frente a las injusticias que por siglos había padecido su pueblo. Esto lo compartiría con Francisca años después.

Itzel era una niña menuda, tres lunares ovalados adornaban sus brazos, un sistema solar, decía el padre, cuando los veía crecer junto a la niña, que cada día parecía más sorprendida por todo lo que iba descubriendo en su diario caminar por la comunidad. Se perdía entre las casas, invitaba a las otras niñas y se iban al río a pasar horas en el agua, donde descubrían las luces y sombras que el sol formaba cuando se elevaba al cielo y sorprendía entre las enormes ramas de abeto que caían entre las aguas casi transparentes. De ahí salieron a la juventud, al descubrimiento de la realidad dura que les tocaría en los años posteriores.

Siendo casi una niña se enamoró de Marcelino. Era la feria del maíz. Ella zapoteca, el tzotzil. Por años sus pueblos habían vivido en conflicto y sus rivalidades los habían distanciado. Para Itzel fue descubrir que no había rencores cuando el amor despertaba a su vida.

Vio al joven acercarse, vestido de fiesta, pantalón corto y camisa tejida, huaraches de cuero y lo mejor era el sombrero con listones de colores. Él la vio a ella, de huipil colorido, su cabello recogido en trenzas con cintas de colores. Marcelino había estudiado con los curas y conocía mucho más allá de su pueblo. No creía en las rencillas que los habían separado. Se acercó como se acercan los inocentes, sin rasgo de prejuicio. Las distracciones de la feria fueron una buena excusa para conversar. Largas filas de niñas esperaban pacientemente su turno para subirse en los juegos. Él le sonrió y ella le devolvió la sonrisa iluminada. Sabía que no debía estar ahí hablando con él, pero no podía evitarlo. Y siguieron así hasta que Itzel sintió un golpe en su espalda. Era su primo Itzán. —Corre antes que mi tío nos descubra. Sabes que no deberías estar aquí con nuestro enemigo— le dijo sacándola del momento de ilusión. ¿Cuál enemigo?, pensó ella. —Itzán, él es Marcelino, conoce mucho de la sierra y de sus caminos. Sabe de nuestra historia y ha estudiado fuera. Es muy inteligente—, le dijo con orgullo. —Si, dijo el primo, pero es nuestro enemigo. Esa tarde supo más de las rencillas históricas entre sus pueblos de lo que nunca antes había querido saber. Un absurdo desencuentro de tantos años que solo tristeza les había llevado a sus comunidades. Se empeñó en que no se dejaría influenciar. No se alejaría de Marcelino.

—Ninguna hija mía se casará con un tzotzil, —fue la respuesta contundente del padre, el día que se presentó y le pidió permiso para casarse. Y ahí terminó la discusión.

Itzel y Marcelino se siguieron encontrando furtivamente en los montes lejanos colindantes con sus aldeas. Caminaban largas distancias para dejar resguardada su relación y volvían al anochecer. Ella de quince años y él uno más. Durante la última noche de las fiestas patronales en el pueblo, se le plantó enfrente y le dijo: —yo te quiero. —Itzel se quedó en silencio, tenía el rostro encendido y la boca seca. Le corrían las lágrimas, se tomaron de las manos y juraron estar juntos para siempre. Un mes después huyeron. En cada una de las noches previas, Itzel bordó su vestido de boda que escondía en una caja dentro de un pequeño armario, su única posesión.

Después de huir se instalaron en Tecoloxtitla, un pueblo cercano a la capital, como estación previa para iniciar su vida lejos de sus familias. Iztia, la tía de Itzel, les dio un sitio donde permanecer hasta que conseguieran algo mejor. Noche tras noche hacían planes para tener su casa propia o tomar propiedad sobre un terreno, como antes ya lo habían hecho otras parejas jóvenes del barrio, —tal vez podemos conseguir una parcela pequeña, dicen que en Cerro Ramos están lotificando, ahí podemos poner una casita. —Después esperarían a que el gobierno les permitiera quedarse. Pero no se atrevieron. No era propio, eso era robar, no podían hacerlo.

Itzel debió trabajar limpiando casas y Marcelino recolectando basura y desechos junto a decenas de hombres jóvenes y niños, todos silenciosos, sucios, de huaraches y ropas rasgadas. Se alegraban cuando encontraban algo de utilidad para sus pobres viviendas, o para vender a los comerciantes de chatarra. Cada día hacían un viaje de dos horas en buses repletos, rodeados de gente tan miserable como ellos, hacia un sitio donde no les aseguraban una paga o solo les daban un adiós por recompensa. Con mucha dificultad lograban reunir algo de dinero cada día para ayudarle con los gastos a la tía Iztia, y medio pasar la vida. Los largos meses de arduo empeño y desencanto finalmente les llevaron a decidir volver al pueblo, esperando que las enemistades de sus familias ya hubiesen pasado.

Desde el viejo autobús que les conducía de vuelta al pueblo por un polvoriento camino, miraron al fondo las montañas rojizas mostrando sus grietas como heridas, el valle gris y frío y los techos de las casas en los caseríos diseminados. Marcelino veía el rostro calmado y firme de Itzel, su mirada aún esperanzada. Ahí abajo, la pobreza quebrantaba a todas las familias por igual. Los grandes campos se veían con el suelo cansado, las milpas lucían agachadas, como vencidas por el desconsuelo, y grandes nubes de polvo envolvían casas y cultivos. Y en un contraste irónico, les rodeaban las grandes haciendas con sus mantos verdes y frondosos árboles, animados por grandes columnas de agua de riego, tan lejanas para ellos.

El fin de su vida juntos llegó muy pronto, Marcelino enfermó de cáncer y sin asistencia médica adecuada, murió menos de un año después de su regreso. Itzel quedó más sola que nunca, porque no tuvieron hijos.

—La Virgencita no quiso darme los hijos, tal vez pensó que no iba a ser buena madre —dijo entre los rezos y humos de hierbas ofrendados en la ceremonia para despedir a Marcelino.

Y llegaron los días de las grandes sequías, de perder la tierra, de no tener ni para comer. Llegaron también los días de violencia, de guerra, de muerte. Ríos de personas salieron de los pueblos en busca de mejores horizontes y se dirigieron al norte. Familias enteras dejaron atrás sus escasas posesiones y caminaron hacia un incierto destino. Itzel vio cómo los vecinos dejaban las chozas abandonados y se iban con algunas pocas pertenencias. Vio también cómo la tierra se secaba, los suelos se quebraban y las mazorcas morían sin que nadie las levantara. Los cielos se volvían rojizos y sin señas de nubes, y el viento traía restos de gruesos hierbajos arrastrados en loca carrera. Pero ella se aferró hasta el último momento a una pequeña esperanza que nunca terminaba de consolidarse.

Cuando sus padres murieron, no supo si de vejez o de tristeza, decidió que era hora de salir nuevamente del pueblo. Pensó en unirse a una de esas caravanas humanas que, como hormigas, veía pasar a lo largo del camino rumbo al norte. Ya nada la ataba a esas tierras, y debía buscar cómo sobrevivir. No llegó muy lejos. Su comadre Dorotea —Itzel era la madrina de la más pequeña de sus ocho hijas— trabajaba hacía décadas en casa de los tíos de Francisca y la instó a quedarse la noche antes de su partida, cuando la visitó para despedirse.

—No se vaya comadre, eso no es para usted, quédese. Yo le voy a ayudar —le dijo, y cumplió su promesa cuando le dio la recomendación ese día que le cambió la vida. —Ella es un poco enojona, patrones, pero es buena y honesta —les aseguró Dorotea a Carlos y Esperanza, convenciéndoles de que era la mejor para el delicado trabajo de cuidar a la hija por nacer.

6. EL PASADO QUE REGRESA:
ITZEL ENCUENTRA A FRANCISCA

Francisca era originaria del sur de México, de una localidad cercana al pueblo de Itzel, primero su nana y tiempo después una de las personas más importantes de su vida. Su padre, Gabriel Izaguirre, era hacendado, comerciante mayorista de ganado, dueño de La Esperanza, una de las haciendas más grandes del estado, con hermosas extensiones de tierra que venían de herencia en herencia desde su tatarabuelo. Había sobrevivido a guerras y desencuentros con las comunidades aledañas, por acuerdos razonables en el uso del agua disponible y las tierras.

Creció junto a su padre y su abuela paterna, Julieta Harris, una agraciada mujer, de fuerte personalidad, que la educó en un arreglo conjunto con Itzel. Le heredarían la sensibilidad, además de la preocupación por la violencia sufrida por las mujeres indígenas dentro de sus hogares. Junto a otras mujeres del pueblo, habían instalado la primera escuela para niñas, en un intento por evitar que la historia de iniquidades continuara repitiéndose.

Itzel llegó a la vida de Francisca antes de que ella naciera. El día que debía presentarse en la hacienda La Esperanza, se levantó muy temprano. El baño con agua fría la dejó bien despierta y activa. Escogió sus mejores ropas: un huipil de mangas abombadas y falda larga a juego, ambos bordados por ella. Calzaba humildes huaraches y llevaba el cabello recogido y coronado por un tocado simple. Unos aretes de plata, única herencia de su madre, completaron su atuendo. Se sentía nerviosa y sus mejillas se ruborizaron ante la expectativa de la visita.

Se tomó un café cargado, comió un trozo de pan de maíz, tomó su rebozo y salió en dirección a la hacienda. Sus pequeños pasos iban dejando huella en el camino de tierra fina, mientras se encomendaba a todos sus dioses para que la protegieran. Caminó hasta que la aridez se convirtió en fresco verdor al entrar en las tierras de "La Esperanza". Se detuvo estremecida cuando vio la casona de campo. Frente al formidable portón de madera se persignó, y tocó con ayuda de la gran anilla que colgaba de la boca de un león metálico. Su piel se erizó cuando escuchó los tres fuertes sonidos. De repente, un extraño dolor le apretó el pecho, y un vaho ardiente le fue subiendo desde los pies hacia arriba, provocándole calores terribles.

—Algo no muy bueno está pasando en esta casa, siento dolor y tristeza acercándose prontamente —se apretaba el vientre, deseando que sus sensaciones y miedos desaparecieran.

La puerta grande se abrió.

—¿Eres Itzel?, —y sin esperar respuesta, —entra, la patrona te espera —la recibió Carlota, una vieja empleada.

Itzel entró saludando muy tímidamente y la siguió por los jardines del patio exterior. Una enorme fuente daba acogida a decenas de pájaros. La imagen de su abuela enseñándole a distinguir sus cantos pobló su mente aliviando sus turbaciones. Logró identificar dos tipos de trinos. Uno era de una bandada de zorzales petirrojos, ella le contaba cómo, quien miraba alguno al inicio de la primavera, le traería buena suerte; el otro, más que un canto eran zumbidos de colibríes que casi no se ven y decía también su abuela que tenían la misión de llevar pensamientos de amor de un sitio a otro. Sonrió al recordarla y apresuró el paso detrás de Carlota hasta llegar a la casona.

Entró admirando los corredores, los techos altos forrados con madera. Las paredes arregladas con pinturas, ángeles y querubines labrados, y grandes cortinajes daban paso a las habitaciones que, entre penumbras, Itzel lograba visualizar. Al llegar finalmente al salón principal, distinguió en el centro a una muy embarazada Esperanza, quien, al notar que se quedó en el marco de la puerta, levantó la mano y movió los dedos invitándola a acercarse.

—Pasa. Bienvenida. Dorotea te ha recomendado muy bien —le dijo, tendiéndole la mano. Itzel miró la fina mano extendida y se estremeció ante el contacto de su piel suave y fría. Esperanza la instó a sentarse en un sillón bajo colocado a su lado. Itzel estaba sorprendida por el trato recibido, tan distinto a todo lo conocido. Ella, acostumbrada a agachar la cabeza y pasar lo más desapercibida posible para evitar malos entendidos. Dudó en sentarse, hasta cuando Esperanza le insistió que lo hiciera.

—Es una responsabilidad muy delicada la que te daré, se trata de cuidar a mi hija —y pasó a detallarle lo que esperaban de ella. Esperanza era muy sensible y dulce, y el embarazo la tenía muy debilitada obligándola a pasar mucho tiempo en cama o encerrada en la casa. Después de ponerse de acuerdo en sus obligaciones, ambas mujeres se levantaron.

—Ven, te voy a enseñar la casa —le dijo poniendo su mano sobre el brazo de Carlota para ayudar a levantarse.

Habían pasado cinco años desde su matrimonio con Carlos, y Esperanza finalmente había quedado embarazada. Casi desde el primer momento presintió que era niña.

—Francisca —decía con la certeza de ser escuchada por la bebé—, Francisca —le llamaba cuando caminaba por la finca, sintiendo que cada paso la acercaba a ella.

—Francisca —repitió cuando tomó la mano de Itzel y la puso en su vientre—, así se llama mi niña —le dijo con rostro radiante. Itzel la miró sorprendida sin hablar, y le tocó su barriga como si se conocieran de toda la vida. La bebé respondió con una pequeña patada.

—Te está saludando —dijo Esperanza.

Caminaron cerca de diez minutos entre los pasillos y habitaciones. Esperanza, adelante, iba muy lentamente, describiendo lo que veían, Itzel la seguía con los ojos muy abiertos, descubriéndolo todo. Cerraba la procesión una ceñuda Carlota.

Desde la entrada se podía ver el corazón de la casa, un hermoso jardín central, rodeado de largos corredores enmarcados por gruesas columnas de cedro, con ingreso a las habitaciones de grandes puertas, igualmente de madera. El techo y el entretecho artesonado junto al piso de ladrillo brillante, creaban una belleza atemporal. El jardín lleno de helechos y enredaderas con flores, en ese momento era arreglado por dos chicos. Al fondo, un portón señalaba la salida a las instalaciones de los empleados, el patio de estacionamiento, un cobertizo para los caballos y dormitorios para los trabajadores temporales. La casa era mucho más de lo que Itzel había imaginado, seguía impresionada y su corazón no dejaba de saltar. Esos espacios tan ricos y elegantes solo los había visto antes en las iglesias, donde iba a rezar cuando sentía tristeza. Era como los cuentos de hadas que les contaban las monjas, todo blanco, todo impecable.

"Debe ser necesario un pequeño ejército para mantener esta casa tan grande y ese jardín", pensó. Los jardines exteriores los mantenían varios jóvenes que podaban, regaban y sacaban la maleza. Esperanza había cuidado sola del jardín interior y salía por las tardes a caminar entre rosas, jazmines, crisantemos, begonias y sus amadas buganvilias, hasta cuando su pesado embarazo no la dejó hacerlo más.

—Este es tu cuarto —dijo cuando llegaron al final de uno de los eternos pasillos de la casa hacienda.

—Mi cuarto —repitió Itzel, caminando con la cabeza agachada, como le había enseñado su madre y antes, a ella, su abuela y su bisabuela. Esperanza abrió la puerta de la pieza, sonriendo e invitándola a entrar.

—Ahí está la cama, en ese ropero del frente podrás guardar tu ropa, y ese aguamanil es para la limpieza de todos los días. Los baños están al fondo, aquí tienes toallas.

—Mi cuarto propio —repetía bajito Itzel, caminando de un lado a otro, sin poder creer su buena suerte.

Cuando Esperanza y Carlota se retiraron, se sentó en la cama, miró las sábanas blancas, las dos almohadas recostadas en la cabecera metálica y la manta a los pies. Se agachó, pasó la mano como acariciándolas y las olió. Tenía ganas de llorar y secó las tímidas lágrimas que lograron salir cuando sus dudas iniciales se hubieron disipado. Se recostó en la cama y miró el techo artesonado, pensando que nunca antes había estado en una pieza donde el techo no tuviera una grieta o un agujero por donde se filtrara la lluvia o el viento. Poco a poco se dejó caer en un leve sueño que la transportó, a través de la memoria, a todas las veces cuando durmió en el suelo, en el pasto, sobre grandes montones de trigo, o apenas cubierta por alguna vieja cobija. O al lado de Marcelino que ya no estaba.

Las campanas de una iglesia cercana sonaron y unos suaves golpes en la puerta la sacaron del ensueño.

—Itzel, te llama la señora Carlota, es hora de la comida —le dijo otra de las chicas trabajadoras de la casa.

Se levantó llevándose con ella los recuerdos, se enjuagó la cara en el aguamanil, se arregló las trenzas y los listones morados que le adornaban, se sacudió las faldas y salió al pasillo. En el comedor del servicio conoció al resto del personal de la casa, compuesto, además de doña Carlota y la chica que la había llamado, por dos mujeres jóvenes encargadas de la limpieza y dos muchachos a cargo del mantenimiento de todas las instalaciones. Los jardineros y trabajadores del campo comían en otro sector de la casa. Se sintió mareada cuando vio la mesa servida con tanta comida como nunca antes había visto. En el centro del mesón se lucía una torre con toda clase de frutas, a los lados, dos platones grandes rebosaban de carnes, vegetales y guisos, y unos platos más pequeños contenían salsas de distintos colores. En una esquina una canasta colorida se iba llenando de tortillas palmeadas por la nieta de Carlota, hasta que decía, ya basta.

Por la tarde Itzel regresó a su casa y recogió sus pocas pertenencias. Sintió desolación al ver la habitación solitaria, las sillas resquebrajadas, el viejo camastro, los botes vacíos donde antes hubo comida, la puerta desvencijada. Tan distinto de su nueva vida. Cerró la puerta tras ella sabiendo que la familia de la comadre la resguardaría en su ausencia.

Rápidamente se acomodó a la rutina de una casa que giraba en torno al difícil embarazo de su dueña. Itzel se encargó de cuidarla junto a la señora Carlota, que no se resignaba a dejar de atender ella misma a su patrona. Cada día ambas le ayudaban a levantarse y arreglarse. Itzel le hacía el desayuno en la cocina de la casa, le ofrecía té de hierbas que ella misma cultivaba, dos tostadas de pan y mermelada de frutas, todo natural. Después se iban las tres a dar breves paseos por el jardín interno o en los alrededores de la casona. Le peinaban los largos cabellos y arreglaban su ropa. "El señor Carlos desayunando solo en el comedor grande, que congoja verlo así desde muy temprano" se decían cuando llevaban la charola de regreso a la cocina.

Los días pasaron, el cariño entre las mujeres fue creciendo y sus horas de conversación se volvieron cada vez más íntimas. Itzel le confió pasajes de su vida de niña y adolescente, las carencias de siempre y la figura de su abuela, el viaje fallido a la capital y la pérdida de sus querencias.

—Sabe niña Esperanza, mi abuela siempre se preocupaba por los días venideros, la comida, los pagos del mercado y los gastos de los niños que debían ir a la escuela. Nunca pudo tener un futuro más provisorio. Nosotras tampoco.

Esperanza le confesó la pena que guardaba en su corazón por el deterioro de su salud, de no querer enfrentar la muerte, del miedo por dejar sola a su pequeña hija y a Carlos. Itzel le compartió cómo en su pueblo la muerte era vista como algo natural y parte de la misma vida desde el primer día del nacimiento.

—Seño Esperanza, ¿sabe? la muerte la traemos pegada al nacer y tenemos que abrazarla cuando llega el día.

Con voz muy persuasiva le enseñó que las almas se componían de dos partes, una parte se aferra a la vida y otra se prepara para la muerte, recibiéndola cuando llega como para transitar a otro modo de existencia en paz. Le compartió sus conocimientos ancestrales de las plantas curativas y aromáticas que ponía en su habitación. Preparaba aguas de hierbas, leche tibia endulzada con piloncillo y canela, y le ayudaba con sus baños de tina con pétalos de flores silvestres. Le llevaba arroces suaves y caldos de vegetales frescos. Todo esto parecía reconfortarla, pero su agotamiento cada día se hacía más notorio.

Esperanza se fue consumiendo día con día, no logró completar el periodo del embarazo, y hubo que operarla de emergencia. A pesar de los cuidados extremos murió en la sala de parto al nacer la niña. La muerte y la vida otra vez en extraña y eterna alianza. Carlos, el padre, recibió la noticia abrumado por el dolor, pero no lloró.

—¡Llora! —le dijo la madre—. ¿Por qué no lloras? Saca lo que tengas, debes superarlo, tienes una hija que cuidar.

Lágrimas amargas entonces recorrieron sus mejillas, pero había perdido interés en la recién nacida. La desaparición de Esperanza había dejado huérfana no solo a Francisca sino a toda la familia, especialmente a Carlos quien se sumergió en una espiral de abandono por casi seis meses. La abuela Julieta debió encargarse de la hacienda y le indicó a Itzel que había llegado la hora de cumplir el acuerdo de hacerse cargo del cuidado de la niña. Para ella fue un regalo enviado por sus dioses, la pequeña y blanquísima criatura parecía hallarse cómoda en sus brazos. Como si fuera la misma madre.

Se instaló con la niña en la sala cuna que Esperanza había preparado y se dedicó exclusiva y amorosamente a su cuidado. La acunaba con canciones infantiles en su idioma mientras le daba leche tibia:

> *Pa chelu' usaanu' naa*
> *xunaxi huiini' ni jma nadxii*
> *napa ladxidua*
> *ratiisi chelu'zia'*
> *ti lii nga guinda, biseenda diuxi*
> *ni gatenia.*[1]

Con el tiempo se volvieron inseparables.

Le enseñó a comer frutos y vegetales. La acompañaba a dormir relatándole leyendas de sus pueblos y luego, historias de la madre. Le en-

[1] *"Si te vas y me dejas, pequeña diosa a quien más ama mi corazón, a donde vayas te seguiré, tu eres el alma que Dios ha enviado para que me guie en mi muerte."*

señó juegos infantiles tradicionales, la motivó a respetar y a comunicarse con la naturaleza, y en la adolescencia, le fue heredando sus conocimientos del manejo de las hierbas y brebajes para todo bien y todo mal. Francisca le compartió sus primeras historias de amor. Itzel le enseñó a interpretar los sueños, poniendo especial atención en todo aquello que la hiciera feliz. Desde muy niña se despertaba gritando y llorando creyendo que la madre aún vivía, y se acongojaba al no encontrarla a su lado. Itzel siempre estaba lista para arrullarla y volverla a dormir entre sus brazos.

Desde los tres años subía a los árboles silbándole a los pájaros, se escondía debajo de las hiladas de leña que vendían en las casas al final del pueblo, husmeaba en los rincones de las lagartijas, o corría sobre los tejados de la casa seguida por una manada de gatos con los que compartía leche y cama. Les recitaba a los felinos sus monólogos infantiles sobre la partida de la madre:

> "Mi madre se fue una noche de lluvias, yo la sentí cuando se despidió, iba descalza, sin una sonrisa, montada en el potro alazán, varita en mano como un hada buena, cabellos sueltos como bruja blanca, mi ma se fue una noche de lluvias, dicen que no volverá."

Itzel también la escuchaba y se desgarraba por dentro. Cuando chica le excluía los sueños con la madre. Más tarde se encargó de narrarle sus historias, para conmemorarla y recordarle su amor. Francisca a veces no sabía si eran sueños o eran los cuentos de su nana los que poblaban su memoria.

—No mi niña. Tu madre te está cuidando desde allá arriba —contestaba a sus requerimientos, señalando a la montaña.

Años pasaron para que dejara de sentirla como algo más que un escalofrío o como una sombra benigna en su cuerpo.

—Quisiera poder hablar con ella, Itzel. No quiero extrañarla más —repetía.

Itzel le enseñó a amar su cultura y comidas, y sus trajes elaborados en los telares de cintura. Lejos habían quedado las humildes ropas del primer día cuando llegó a la hacienda. Pronto pudo comprar mejores telas e hilos, con los que hizo un nuevo ajuar para vestirse ella y vestir a la niña. A la abuela Julieta le gustaba mirarla con los trajes vistosos y de variados colores, pues creía que la hacían verse especial. Su largo cabello rubio ensortijado era peinado por Itzel, armado en dos grandes trenzas enrolladas alrededor de la cabeza, tal como ella misma lo hacía con el suyo. De adulta continuó usando esos trajes en la capital. Era extraño ver en la universidad, primero, y en los juzgados después, a una joven blanca y rubia vistiendo de vez en cuando con los coloridos trajes del sur de México.

Francisca llevaba prendida a la madre en su calidez y ternura, y a la abuela en la fortaleza de carácter y en la certeza de sus pensamientos. Su paso por la escuela rural fue origen de sabiduría y al mismo tiempo, su manera de vivir en una burbuja de donde se imaginó nunca saldría. Pero la amistad infantil cultivada con las niñas del campo no duró mucho, ya que a los once años finalmente despertó de su niñez cuando el padre y la abuela decidieron enviarla a un internado de monjas.

Su padre se acostumbró a sus extravagancias, pero no así la abuela Julieta. —Carlos, algo tenemos que hacer con esta niña, no puede ser que siga viviendo aquí como una salvaje. La niña debe ser profesionista y ocupar su lugar en el mundo como le corresponde —concluyó ante la resignación del padre. Y así un día y sin entender mucho lo que estaba pasando, se despidió llorando de sus amigas, y se marchó del pueblo acompañada por Itzel.

Regresaba de visita a la hacienda cuando su vida de reclusa escolar se lo permitía, y cada vez que se despedía de su abuela, un dolor punzante se le instalaba en el pecho. En sus mañanas rememoraban las historias vividas. Por las noches se acurrucaba en los brazos de Itzel, pidiéndole descifrar los sueños que la devolvieran al vientre materno o a una vida en donde la madre estuviera a su lado.

Cuando se encontraba con sus antiguas amigas de la escuela, sufría viendo cómo una a una, desde muy jóvenes se iban llenando de hijos, eran pocas las que podían tener una familia estable. Poco a poco, aquellas niñas de rostros felices y miradas inocentes se iban transformando en seres sin luz. Esos viajes, reconocer y aceptar esa vida de niña privilegiada, marcaron el lugar donde pertenecía y forjaron su determinación de lo que debía hacer en su adultez. Aunque no lo hubiera hecho con intención, las enseñanzas de la abuela habían calado hondo en la joven.

Su paso por el internado fue siempre como estar encarcelada. Las monjas creían que las niñas de buenas familias debían ser educadas para casarse y tener una vida ilustre. Su destino era ingresar a un convento o lograr un matrimonio de conveniencia. Las otras niñas, las del pueblo, eran entrenadas para servir a mujeres como Francisca. Pero ella lo único que deseaba era su libertad total. Y volver a la hacienda.

Los únicos momentos de alegría eran cuando salía con su primo David, interno en un colegio para varones, distante a una hora del suyo. Era siete años mayor y su primo preferido. Pasaban juntos las vacaciones en la hacienda, con él había aprendido a disparar escopeta y a tirar cuchillos usando los árboles de diana y en las madrugadas se escapaban a caballo a recorrer los caminos solitarios, poblados de secretos.

David era apuesto, acostumbraba llegar al colegio todo bienoliente y con su mejor sonrisa, verlo era todo un espectáculo, convencía a las monjas de dejarla salir, para evitarle el eterno tedio de los fines de semana. Francisca se iba feliz tomada de su brazo. Amaba estar a su lado, comer helados y escucharle contar historias. Cuando reía se palmeaba la pierna, meciéndose, arqueando el cuerpo y mostrando sus dientes perfectos. Le recordaba tanto a su padre. Al final del paseo sufría el retorno a su encierro y casi que arrastraba los pies para retrasar la llegada.

—No me lleves de regreso —le rogaba.

—Me matan a mí y después a ti —le decía, muerto de risa.

Su salida final fue sellada en el último año de colegio, al ser descubierta con otras alumnas regresando de una de sus escapadas para ir al cine y recorrer la ciudad. Acostumbraban burlar el férreo control de la entrada escalando el muro del patio trasero. Saltaban a la calle justo después del toque de campana en el horario de las tareas y se las arreglaban para regresar antes del toque de la hora de cena. Se iban sin rumbo, haciendo largos paseos de libertad, dejando volar la imaginación, creyendo vivir en otra vida y otro destino. Todo se desvanecía hasta que volvían y subían el muro de regreso al colegio.

Ese día, al regresar al internado, el patio parecía vacío, más grande en su soledad, apenas iluminado por dos lámparas mecidas al ritmo del suave viento de la época veraniega. Francisca se sentó arriba del muro, miró a su alrededor y observó cómo saltaban las demás. Todo parecía estar bien, hasta oír el grito de la madre superiora.

—¡Al confesionario! ¡Todas, ahora! —con esa mirada brillante que no auguraba nada bueno. La madre superiora las había esperado con una de sus peores caras y del patio pasaron directo al centro de confesión y pena. Al salir de ahí, su destino estaba marcado. Había sido expulsada. Itzel había llegado para llevarla de regreso a la hacienda, y colgada de su brazo salió feliz. Volteó eufórica al sentir el golpe del portón de la entrada principal, y ambas caminaron sonriendo hacia el auto que las esperaba. Su aventura le costó el año escolar y debió repetirlo en un colegio de la capital. Fue una llegada en grande al barrio que después sería su hogar, Coyoacán.

Como viraje trágico del destino, cuando regresó triunfante a casa, la abuela Julieta cayó enferma. Un mal degenerativo de los huesos la obligó a permanecer confinada a su habitación, de donde solo salía cuando se sentía muy animada. Francisca regresó para quedarse un semestre completo al lado de la abuela y poder acompañarla en su final. Por las tardes, antes de terminar postrada en una cama, iban a dar pequeños paseos por el jardín, estar cerca de las flores la animaba. Sentadas muy juntas en el corredor, escuchaba pacientemente sus historias. Tomaba su mano y la besaba, le peinaba los cabellos. A cierta distancia, Itzel las observaba y esperaba el momento cuando, entre las dos, la llevaran de nuevo a su pieza. A su muerte, Francisca sintió que perdía a otra madre. También volvieron los sueños y las premoniciones.

7. PIEDRAS EN EL CAMINO

Gabriela Montalbán, decidida y ambiciosa, había respondido al anuncio publicado por la subsidiaria europea de la empresa de la familia Ibáñez, en *Le Monde,* para contratar un asistente de mercados. Completó satisfactoriamente todas las fases del concurso y a través de un correo le notificaron que debía presentarse a una última entrevista. En la decisión para la selección pesó su profesionalismo y su nacionalidad mexicana, hablar tres idiomas y ser parcialmente zapoteca. Era como una versión no terminada de la cantante oaxaqueña Lila Downs. Su rostro estaba enmarcado por una melena lisa y larga. Pero lo que no tenía de altura o belleza, lo subsanaba con soltura y un poco de desparpajo y luminosidad. Era como un juego de compensación humana.

—¡Lo sabía! —exclamó al ver el correo, con la misma seguridad con la que se presentó a la empresa el día de la cita. Se bajó en la estación Saint Germain des Prés y caminó hacia la dirección indicada en el correo. En el camino paró a tomar un café cargado.

Al llegar, se acercó decidida al edificio donde varias empresas mexicanas compartían local. Pensó que estaba lista para tomar su oportunidad. Leyó el rótulo de la entrada: Food and More.

—¡Qué poca imaginación con ese logo! —murmuró, segura de que ella tendría muchas más y mejores ideas. El rótulo era simple, pequeño, en hierro forjado y bronce, con alargadas letras en dorado y gris. No llamaba mucho la atención, su fin no era atraer a los peatones que transitaban por la *Rue de Rennes.*

Se acomodó su preciado bolso *Chanel,* de tenue color mostaza, lo acariciaba pensando en todos los almuerzos dejados de lado para poder comprarlo. Empujó las enormes puertas de vidrio y se encaminó al mostrador, que parecía pequeño en la inmensidad de aquel *lobby*. Una chica rubia le dio los buenos días en perfecto francés.

—Tengo cita con el Sr. Ibáñez.

La rubia la miró extrañada y le respondió que el Sr. Ibáñez no la tenía en agenda. Gabriela sacó de su enorme bolso el correo impreso y se lo entregó a la joven. En el mensaje la invitaban a presentarse para la entrevista final para el puesto, firmado por Andrés Ibáñez. La chica tomó la hoja de papel y le dijo que eso le correspondía al Sr. Marcel, encargado de Recursos Humanos. Sin decirle más llamó por el intercomunicador, mientras Gabriela se distraía admirando, a través de las enormes puertas de vidrio, la vistosa placita de enfrente.

—Puede pasar —le dijo la rubia devolviéndole el papel— el Sr. Marcel la está esperando. Piso quinto, ascensores a la izquierda.

Se dirigió hacia donde la rubia le indicaba. Subió al elevador y marcó el número cinco, las puertas se cerraron y suspiró mirándose al espejo. Estaba expectante. Se abrieron las puertas del ascensor y otra sala de recepción se mostró frente a ella. Salió y saludó a una nueva rubia que se levantaba en ese momento para recibirla. "Pareciera que las contratan a todas iguales", pensó, acercándose.

—Adelante, ¿es usted Gabriela? —preguntó, ahora en perfecto castellano, con cierto acento colombiano le pareció a ella.

—Sí.

—Puede pasar, el Sr. Marcel la está esperando —repitió la nueva rubia, como si junto a la primera hubieran entrenado para pronunciar el estribillo, aunque en distintos idiomas.

Le pidió seguirla por el lado derecho del pasillo, hasta encontrar una puerta con un pequeño rótulo de madera con bordes metálicos: Marcel Levante, *Head of Human Resources*.

—*Excusez-moi* —le dijo a la asistente del Sr. Levante, una morena de alto peinado—, aquí está la cita de las diez de tu jefe —y la segunda rubia se retiró.

Esperó de pie en la entrada, la morena de alto peinado se levantó a abrir la puerta de otra oficina donde pudo ver que desde el fondo, caminaba hacia ella un hombre joven, espigado, blanco y de peinado engominado, con traje a rayas, luciendo un corbatín de moño rojo. "¿Quién usa corbatín en estos días?" pensó, extendiéndole la mano.

—Buenos días, pase —le dijo Marcel, invitándola a entrar al despacho.

La recibió en la amplia oficina con alfombra verde y rayas finas de color café, de paredes rosa pálido. "Extraña selección", pensó ella. Un jarrón azul con flores rosadas yacía sobre una mesa de vidrio en el centro de la sala de impecables sillones blancos. "Tal parece que nadie los usa", pensó de nuevo. Un silencio incómodo se alzó entre los dos cuando se retiró la asistenta.

—Siéntese —le pidió, señalando uno de los sillones, acomodándose en el otro.

Al finalizar la entrevista, Gabriela había logrado hacerlo pasar de un silencio profundo a tener su atención total, con risas cómplices sobre historias de viajes y comidas. Y ya tenía el contrato firmado en sus manos.

—Gracias por dejarme saludar al señor Ibáñez.

Marcel no recordaba cómo lo había convencido para que le permitiera pasar al despacho de la dirección. La acompañó hasta dejarla con Rosa, su asistente, quien anunció su llegada al director.

—Señor, lo buscan en el despacho. Es la joven recién contratada para los sistemas de mercadeo. La envía el señor Marcel para que le dé la bienvenida a la empresa.

Años después, Andrés recordaría muy bien el día en que ella entró por primera vez a su oficina. A su vida. Llevaba el largo y brillante cabello negro recogido en un moño detrás del cuello, cosa de parecer más seria. Sus pechos grandes apuntando hacia él. Tenía una mirada que le suavizaba el rostro. O tal vez era la sonrisa, o la forma tan lenta de hablar, como midiendo cada palabra.

Minutos antes de su entrada, Andrés, entre gráficos y cuadros, se debatía con pensamientos más terrenales. Esa misma noche debía terminar sus encuentros con Merlen, la chica pasante jamaiquina con la que había estado teniendo un amorío y donde tantos placeres había descubierto. Había sido el perfecto ejemplo de cómo la vida podía funcionar tan bien, y esperaba poder revivir un último y apasionado encuentro.

Ahora Merlen estaba a punto de concluir su tiempo en la empresa. Había llegado temporalmente a París para ejercer como pasante, requisito para completar su maestría en mercadeo de la London School of Economics. La empresa siempre había tenido la política de puertas abiertas para estudiantes, y el Sr. Marcel personalmente les seleccionaba.

Merlen se le metió entre ceja y ceja desde que la conoció, era una mulata bellísima. Había sido atleta de pista y campo cuando estudiaba en la University of the West Indies en Kingston. Era muy joven, pero esto no les impidió iniciar un "intercambio de intereses", como él decía. Al contrario.

Merlen se convirtió en una de las asiduas visitantes a su despacho, con sus carnes fuertes y trasero grande. No se enamoró de ella, nunca lo hacía, pero le gustaba mucho, en particular cuando la veía sentarse y cruzar las piernas en el ancho sofá.

Al entrar ella a la oficina todo se iluminaba, en especial su piel morena cuando se sacaba la ropa. Merlen entonces se acercaba contoneándose como gacela, se sentaba a su lado y moviéndose lánguidamente, metía una de sus piernas entre las de él, le abría la camisa con una mano, y con la otra le acariciaba la entrepierna. Se levantaba después ofreciéndole la espalda, sabiendo que él veía su trasero negro y se dejaba caer de nuevo en el sillón del frente abriendo las piernas, sin darle respiro. Entonces, Andrés recorría esa desnudez besándola toda y se apoderaba furiosamente de su cuerpo, prolongando el momento culminante en el que ella le entregaría su joven placer, acoplada como una experta.

Esta aventura había sido como las otras. Aportaba a su vida momentos de placer rudo con una temporalidad y libertad de acción totalmente acotadas. Este día cerraría "el capítulo Merlen", como le había llamado. Había durado más que otras. El gusto por ella, su piel cobriza y su disposición a los juegos duros, eran los responsables. No quería deshacerse de esta relación, pero tenía que hacerlo. En una hora se encontraría con la chica en un restaurante para la despedida. Sin remordimientos ni culpas.

Rosa lo despertó de sus pensamientos.

—Señor, ¿le digo que pase a la señorita? —Sobresaltado atinó a responder:

—Sí, Rosa, hazla pasar, por favor —arrepintiéndose de inmediato por no haber buscado alguna excusa, algo que la alejara de ahí.

Gabriela entró decidida.

—Buen día, soy Gabriela —le dijo extendiendo su fina mano morena. Andrés la tomó y la invitó a sentarse en una de las sillas de la mesa de reuniones. Sobre el escritorio lucía fajos de papeles ordenados, un cofre de madera pintado con flores de vivos colores, dos jarrones con ramas secas de tonalidades ocre; del lado derecho, la foto en marco de madera de una mujer -Francisca-, parecía sonreír de frente al espejo de agua azul; flanqueado por otros dos marcos de plata, con fotos de los hijos también sonriendo. Su vida completa. En la pared, detrás del escritorio, se proyectaba el contenido de su computadora. En ese momento se veían dos gráficos con líneas de colores rojo y azul y puntos amarillos alrededor de ellas que se apagaron tan pronto cerró la pantalla.

Los ojos pardos de ella se encontraron con los suyos. Se conectaron. Los siguientes veinte minutos fueron para enterarse de que tenían mucho en común, a pesar de la diferencia de edades, a pesar de las diferencias sociales, y a pesar de la jerarquía. Gabriela no lo defraudaría, se haría indispensable. Tenía frente a sí a una persona de experiencia, con la certeza de lo que quería para el futuro. La primera atracción sucedió en ese instante. Casi inmediata.

En algún momento de la conversación entró Rosa para recordarle que tenía otra cita. Respiró inquieto pero aliviado. Se levantó rápido del sillón donde estaba casi hundido, dio la vuelta al escritorio, tomó su mano en señal de despedida y le pidió disculpas por tener que retirarse.

—Ya nos veremos en los próximos días —concluyó Andrés.

En ese momento no tenía idea de cuánto compartirían en el futuro.

8. ¿Y SI ÉSA FUERA YO?

Francisca siempre había sido empeñosa. "Luchona", como le decían en su tierra. Sonreía cuando oía esa expresión. Le gustaba la palabrita. "Luchona", repetía para sus adentros, cuando quería sacar fuerzas en momentos de dificultad. "Luchona", le decía Itzel desde chica, cuando no se dejaba vencer por las dificultades de sus juegos y también se lo decía la abuela Julieta cuando la miraba discutir con el padre y conseguir lo que quería.

Desde joven estuvo segura de su misión en la vida. Debía hacer lo que fuese necesario para proteger a las mujeres agredidas, sobre todo a las más jóvenes, llegando inclusive a alojarlas en su departamento cuando las muchachas no tenían dónde quedarse, a pesar de las insistentes quejas de la familia.

—No te puedes involucrar tanto —le decían.

—Están perdiendo su tiempo —intervenía Itzel, su aliada en todo momento— siempre hará su deseo, es como la abuela Julieta—. El padre sonreía con indudable orgullo, sabiendo que era cierto.

Un flamante rótulo señalaba el ingreso al refugio instalado en Coyoacán: Centro de Acogida para Mujeres Santa Rita de Casia.

Al principio no le gustó mucho el nombre, pero Florence y Nitza insistieron tanto que las dejó hacer, porque según ellas, la santa era "la patrona de las mujeres maltratadas".

—¿No sabes acaso que Santa Rita sufrió agravios de su esposo hasta que lo convirtió a la fe católica? —a Florence le gustaba repasar esa historia. Además, tenían un pequeño retablo de la santa en la entrada.

—Antes de santa fue mujer —repetía Nitza.

Francisca no estaba tan segura. Sus pensamientos antirreligiosos se habían afirmado después de años de reflexión, no creía que hubiera nada más arriba de las nubes, ni en un ser superior que mirara por los destinos de ellas.

—No estaría tan mal este mundo. —Pero ese día no discutió más, las dejó con el nombre, pero se opuso rotundamente a poner imágenes religiosas y peor aún, a colocar una cruz de madera llevada por Nitza.

—Ya suficiente tenemos con símbolos religiosos que solo nos han traído atrasos —casi repitiendo sus argumentos eternos con Andrés, y con esto finalizó la discusión.

La primera vez que tuvo en el centro a una mujer agredida, fue uno de sus momentos más duros, pero al mismo tiempo le dio la certeza de lo que debía hacer. Fania era el nombre de la joven. De baja estatura, parecía muy frágil, casi a punto de quebrarse y como les pasaba a muchas, no lograba explicar por qué vivía en tal situación.

—Bruno siempre fue cariñoso, nunca me había hecho nada antes —decía alzando su hermoso rostro, agraviado en ese momento con dos moretones redondos que la hacían parecer aún más frágil. La voz quebrada casi inaudible, su mirada perdida en el suelo, las manos cruzadas entre las piernas. No era la primera vez que le sucedía. Lo confirmaba una marca en el cuello ya casi borrada.

—¿Cómo puedes vivir así? —le preguntó cuándo logró ganarse su confianza. Para ella siempre era difícil entender cómo una mujer podía soportar ser sometida a este trato. Solo los años de trabajo junto a tantas mujeres maltratadas le comenzaron a dar respuestas y nunca eran sencillas.

"¿Por qué no se separan de quien tanto daño les hace?" se preguntaba. Un día los acusan y al siguiente ellas mismas iban a liberarlos. Eran demasiados años de sometimiento.

—Es fácil juzgarlas cuando nuestra vida es tan distinta a las de ellas —se decían con Florence y Nitza.

—No soportaría si un hombre me golpeara, no sé qué haría —decía Francisca, recordando sus noches de amor impetuoso con Andrés, viendo su propia vida tan lejana de la de ellas—. Y lo peor de todo es que con ellas las agresiones no son solo físicas.

Fania tenía esa mirada de gata asustada después de haber recibido un golpe tras otro. No se había decidido a poner la denuncia la primera vez, sino hasta que sus hijos vieron cómo el padre la había tirado contra la pared de la habitación.

—O se quitan de ahí o ustedes también van a recibir lo suyo —les gritó Bruno, levantando la mano para tirar el golpe ante el terror de los niños.

Fania sacó fuerzas de donde no supo que tenía y le detuvo el brazo.

—A mis niños no.

Por alguna razón insospechada o por la fuerza de ella, Bruno se detuvo, dio la vuelta y salió a la calle tirando la puerta. Ella se levantó y se sacudió las lágrimas. Era hora de ponerle fin a todo esto y decidió buscar ayuda. Aún insegura, tomó su bolso, les pidió a los mayores cuidar de su hermanito menor y salió a la calle.

—Quiero reportar una agresión —dijo, al entrar en la oficina de la Fiscalía cercana a Tlalpan, la suave voz era casi un susurro. El portero le indicó la oficina donde debía dirigirse.

Con pasos vacilantes caminó al mostrador, donde una joven oficial con cara abatida le dio un número escrito en un cartón y le pidió que se sentara. Volteó buscando dónde hacerlo, pero la oficina estaba abarrotada. Se apoyó en una pared. A lo lejos sonaba una canción. Sonrió triste recordando mejores tiempos.

Después de treinta minutos, que los sintió como los más largos de su vida, escuchó su nombre y se dirigió donde la llamaban. Le pasaron un formulario y le ayudaron a rellenarlo. Iba marcándole los pasos que debía seguir a partir de ese momento y se asustó de verse en la situación de describir todo lo pasado. Tenía miedo y se sentía tremendamente sola. Repitió los hechos y la joven oficial los transcribía en una vieja computadora. Al finalizar le extendió el papel, le pidió leerlo y firmarlo y le dio cita para el día siguiente. Le indicó que debía ir a un hospital para registrar las pruebas de la agresión y traer esos documentos a su cita en la Fiscalía Especial. Estaba iniciando un camino sin certeza de poder recorrerlo.

El padre de Fania era un músico fanático de la orquesta Fania All Stars y no se perdía ninguno de sus conciertos en México. Cuando su novia quedó embarazada, le dijo: —Va a ser niña y se llamará Fania. A la chica, muy joven, solo le preocupaba formalizar la relación antes que sus padres supieran lo del embarazo. A los siete meses del matrimonio nació la niña.

—Es que ahora los niños están apurados por nacer —les dijo la madre a sus amigas, para justificar.

—Fania —dijo el padre sonriendo feliz mirando a su esposa en la camilla. Su alegría les duró poco. Para seguir sus vidas errantes no se quedaron con la niña y la entregaron a los abuelos maternos, quienes se hicieron cargo de su educación. La abuela creía que los niños debían ser educados con rigor y le repetía: —porque después de lo que pasó con la madre ya sabemos lo que te puede deparar el destino.

Fania creció pensando que los cintos de cuero amenazantes eran parte de la vida de todas las niñas, y siguió creyéndolo con los cinturonazos de la abuela, acompañados de gritos y amenazas. Ella soñaba con crecer y salir pronto de esa casa. A los dieciséis años, a un año de bachillerarse, conoció a Bruno, apuesto, moreno, de cabello largo rizado y con suficientes conocimientos para atraer a las chicas. Se enamoró sin remedio, se escapaba de clases para encontrarlo y no hubo poder humano que les separara.

Bruno se había retirado del colegio, y trabajaba en el taller mecánico de su tío. —Un día este taller será mío —le decía— y vamos a tener mucho dinero. Te voy a dar todo lo que quieras —mientras le desabotonaba la blusa del uniforme que cubría sus pechos casi de niña.

Fania fue a su ceremonia de bachillerato y a la cena de graduación embarazada de su primer hijo y del brazo del abuelo. Bruno no fue invitado por disposición de la abuela. Un mes después se fueron a vivir juntos al pequeño departamento de Bruno, arriba del taller. No podía estar más feliz, hasta que llegó el primer golpe. Ella, con casi ocho meses de embarazo no quiso aceptar los requerimientos sexuales de Bruno borracho, y encolerizado le lanzó una fuerte bofetada que la hizo caer sobre la cama. La forzó. Al día siguiente estrenó su primer círculo morado en la mejilla, seguido por dos más antes del nacimiento del hijo. Y siguió así la vida, entre golpes, perdones y embarazos, hasta su encuentro con Francisca.

Francisca vio a Fania en la Fiscalía y supo que era ella. La joven caminaba como lo hacen las personas agredidas, con la cabeza agachada y las manos cruzadas sobre su pecho, como queriendo ocultar su miedo y vergüenza. Caminó hacia ella:

—Hola, ¿eres Fania? —le preguntó acercándose— estoy aquí para acompañarte—. Y le extendió su mano firme. La chica con movimientos tímidos, se la estrechó.

Ambas se acercaron entonces al mostrador y Francisca empujó la pequeña puerta que separaba el ingreso a la oficina donde se recibían las denuncias de agresiones. Entró, saludó a la oficial sentada atrás de un escritorio e invitó a Fania a sentarse junto a ella.

—Mi clienta está lista para refrendar la denuncia.

Fania suspiró profundamente, apretó las manos sudadas sobre su regazo, como queriendo tomar valor, y comenzó a relatar la vida de golpizas, amenazas y abusos de Bruno, cuando se pasaba con el licor, o si había tenido un difícil día. Años atrás Bruno había perdido el trabajo en el taller de su tío y el departamento, por lo que vivían en una casita de un solo cuarto. En su último empleo lo despidieron por sus múltiples ausencias y lo agresivo que se tornaba.

—En realidad no hay ninguna disculpa o justificación cuando de violencia se trata. Cualquier excusa puede ser buena para argumentar una agresión —aseguró Francisca. La oficial solo asintió. Fania lucía como un animalito asustado.

Al salir las dos mujeres de la delegación, las esperaba Bruno con cara compungida, sentado en el borde de la jardinera en el parque de enfrente, comiendo algo que tiró al suelo cuando las vio. Se levantó, cruzó casi corriendo la calle y empezó a ofrecerle miles de disculpas y a pedirle perdón. Que si estaba mal, que si lo habían echado del trabajo, que si había perdido el control. La lista de excusas buscando su compasión era larga. Ella volteó a verlo con sus mismos ojos de gata asustada. —El siempre pide perdón y yo me siento mal y acongojada —le dijo a Francisca que la miró fijamente.

—Es tu decisión, nadie más puede hacerlo por ti.

Fania regresó donde Bruno. Él la tomó de la mano y ambos empezaron a caminar por la acera en dirección al parque. Él la abrazaba y besaba, y ella lo dejaba. Francisca se quedó sola en la acera, sintiéndose derrotada.

Dos meses después la llamaron del Hospital Central. Fania había dado su nombre y número telefónico y pedía hablar con ella. Después de colgar el teléfono, canceló sus otros compromisos y se fue directo al hospital. Al llegar a la sala, quedó horrorizada. La cara era un amasijo de sangre y carne, uno de sus ojos estaba completamente cerrado y el otro reducido a una línea. Su sonrisa había sido desdibujada. Tenía entablillados un brazo y una pierna. Al verla intentó hablar, pero no pudo. Las lágrimas resbalaban por sus mejillas enrojecidas.

Sus tres niños, sentados en una banquita improvisada traída por una de las enfermeras, no paraban de llorar. Fania balbuceaba pidiendo no ser separada de sus pequeños. Francisca se acercó y le presionó el brazo suavemente, intentando trasmitirle la seguridad de que a partir de ahora estaría protegida. Reanudarían el proceso de la denuncia. Cerró los ojos agradeciendo su presencia, mientras sujetaba entre los dedos una pequeña cadena con la imagen de la virgen de Guadalupe.

Le apretó de nuevo el brazo y Fania emitió un leve quejido, la soltó pidiéndole disculpas. Miró en su muñeca el listón morado que le había dado la primera vez, cuando se encontró con ella, con la frase "Yo puedo" inscrita en letras negras pequeñas, y debajo un nombre y un número de teléfono. Todo lo que se necesitaba para saber dónde y a quién acudir en caso de emergencia.

Las semanas siguientes fueron de recuperación de sus heridas, y de sesiones de preparación para llegar al primer encuentro legal con Bruno. Por su peligrosidad, Florence y Nitza se mostraban preocupadas por la seguridad de Francisca.

El juez de familia determinó que la guarda y custodia de los niños quedara a cargo de Fania. Tampoco asistirían a la escuela mientras durara el proceso.

—¿Estás segura? —le preguntó a Fania el primer día que se sentaron a organizar el proceso. Muchas veces la misma pregunta sería formulada como en un juego letal, pero debía hacerla—. Debes estarlo.

—Estoy segura.

Francisca no insistió. Revisó los papeles en su poder y le pasó una hoja señalando dónde debía firmar.

—Con esto vamos a reiniciar el proceso, ¿cómo están tus niños?

—Asustados pero bien. Ahora los dejé con una amiga, pero ya Florence me ayudará esta tarde para trasladarme con ellos al centro.

Francisca sabía que no sería fácil. Pero ahora tenían el expediente del hospital, las fotos de las agresiones y las declaraciones de los vecinos, Bruno alegaría locura, celos o cualquier otro absurdo argumento para seguir libre. México tenía leyes y reglamentos modernos contra la violencia familiar, pero aún carecían de los mecanismos necesarios para ponerlos en operación. Las cifras de violencia intrafamiliar eran cada vez más preocupantes.

El día de la declaración de Fania, Francisca se sentía nerviosa. Temía que se arrepintiera y lo perdonara, como en las ocasiones anteriores.

Se sentó a desayunar con Andrés en el pequeño patio del interior de la casa, donde pasaban momentos juntos. Tomando el café, le narró paso a paso su plan para lograr una orden total de restricción contra Bruno. Andrés se preocupaba por ella, por su seguridad, pero la apoyaba, pues sabía la importancia de lo que hacía.

—Debes cuidarte —le dijo, poniendo su mano en su antebrazo, acariciándola suavemente con un movimiento circular, terminando con un leve apretón sobre la muñeca donde lucía un pequeño morado. Francisca amaba sus caricias. Y sus noches de amor apasionado. Sobre todo, en estos momentos agradecía sus abrazos, le daban fuerza para lo que iba a enfrentar. Terminó su café, se despidió de Andrés con un beso y abrazó a Itzel.

—Cuídate mi niña.

Un escalofrío la dejó entre inquieta y preocupada. Salió al estacionamiento, subió al coche y se dirigió al Centro a recoger a Fania y Florence que la esperaban. Al llegar, bajó y salió a su encuentro en la puerta. Fania lucía un vestido negro, regalo de Nitza, que la hacía ver aún más delgada. Florence venía detrás. Subieron al auto y se enrumbaron al Ministerio Público.

Entraron al viejo edificio y buscaron la sala correspondiente. Por el lado de Florence se acercó Bruno, que venía a entregar su propia declaración. Fania se colocó del otro lado de Francisca, para evitar estar cerca de él.

El abogado de Bruno entró segundos después. Era un viejo conocido defensor de causas criminales, acostumbrado a usar cualquier tipo de argumentos y argucias para sacar libres a sus clientes, por más culpables que fuesen. Y aunque Bruno tenía todas las de perder, este abogado no escatimaría en recursos mal habidos para comprar el favor de las autoridades. Tendrían que luchar contra una posible reducción de su condena, y la eventualidad de salir libre bajo fianza.

—Si la ley me lo permite, yo tengo el deber de usar cualquier resquicio —le gustaba repetir al abogado, alisándose sus largos bigotes.

Francisca ya lo conocía. Otros abogados se habían enfrentado con él en causas similares, y no era muy agradable. Fania seguía encogida a su lado desde la entrada de Bruno. Aún llevaba en el rostro el morado de sus golpes y un brazo vendado, y parecía muy asustada.

El agente del Ministerio Público, un abogado cuya cédula profesional le había sido recientemente otorgada, tomó nota de su preocupación y les indicó que podían esperar en la salita adjunta.

—No, gracias —dijo Fania.

El agente revisó los documentos, pidió a Bruno que se aproximara y le preguntó si era consciente de la acusación. Él miró a su abogado y, después de recibir una señal, expresó su anuencia. El agente tomó los dos expedientes.

En México aún no se instalaban los juicios públicos, así que se revisarían los documentos entregados y en unas semanas el juez emitiría su dictamen. Bruno giró su rostro hacia Francisca, ofreciéndole una mirada cínica y burlesca. El abogado lo tomó del brazo, ya se estaba enfureciendo por su desplantada actitud, y lo empujó hacia la puerta de salida.

Bruno siguió viendo a las tres mujeres de pie, tomadas del brazo. Francisca le sostuvo la mirada mientras los dos hombres salían del recinto. Suspiró. Sabía que este caso le tomaría algún tiempo. Era el primero para ella y debía prepararse.

9. LA INDISPENSABLE GABRIELA

Gabriela se hizo cada vez más imprescindible en la empresa. Se multiplicaba en reuniones de promoción de productos, encuentros con potenciales clientes y los contratos de importación. Andrés se iba sorprendiendo gratamente con sus habilidades y su especial forma de lograr resultados. Gabriela sonreía al tomar conciencia de la admiración que le inspiraba.

—Eres maravillosa, has sido un gran descubrimiento —le escribió a los pocos días en un *post-it* que dejó pegado sobre su escritorio. Después se multiplicarían.

Las largas horas de trabajo por las noches eran habituales en la empresa, y se fueron haciendo más usuales entre ellos, también se multiplicaron las salidas a comer y tomar un vino antes de volver a casa. Fueron esos días cuando Francisca debía viajar más seguido a México, sus compromisos con el Centro iban creciendo y la diferencia horaria les dificultaba la comunicación.

Los proyectos en Food and More se fueron acumulando, y la oficina de la dirección era un hervidero de personas entrando y saliendo. Por la noche, acostumbraban quedarse un grupo de especialistas —Gabriela incluida— para hacerse cargo de los asuntos que debían atender en las reuniones del día siguiente. El ambiente era propicio para acercarles.

—¿No te importaría quedarte un poco más?

La respuesta era obvia y la sonrisa lo confirmaba.

—No, señor Andrés, no tengo problema. Quedé de verme con Jean-Paul, pero le avisaré que no puedo hoy, él sabrá comprender.

Jean-Paul era su novio francés. Un muchacho sin ninguna luz, técnico en maquinaria pesada. Trabajador, pero poco ambicioso, y sin intenciones de formalizar ninguna relación con ella.

—Deja el "señor" de lado, me haces sentir más viejo —le pidió, volteando desde la pantalla de la computadora en la que había estado escribiendo mientras ella hablaba. Gabriela arrugó la frente y quiso decirle algo, pero se quedó callada.

Sus complicidades continuaron en las siguientes semanas, en noches de reuniones y preparación de juntas. Una muy hábil Gabriela se fue colocando como pieza imprescindible del equipo. Andrés la necesitaba cada vez más en las largas sesiones.

—Perdón, quiero decirle algo, pero no lo quiero importunar —le soltó una de esas noches, cuando ya se habían quedado solos después de una larga reunión.

—Habla —dijo él sin levantar la cara de la pantalla.

—Usted me gusta mucho —arrastraba las palabras—es decir, como persona. Estos meses de trabajo a su lado han sido increíbles para mí, de mucho aprendizaje. Es usted tan seguro, tan… no sé, perdone el atrevimiento, pero tenía que decirle.

Y sin mediar más palabras, se levantó del asiento y rodeó la mesa acercándose a él. Se agachó y lo besó suavemente en la boca. Andrés se sorprendió por su iniciativa, pero no se negó a recibirla. Ella se separó, sonriendo.

—Me gusta, pero esto no debe afectar nuestra relación en la empresa —dijo él levantándose, y empezó a caminar de un lado al otro de la oficina hasta terminar tumbándose en una de las sillas blancas donde, esa misma tarde, había estado con Francisca antes de salir a almorzar. Gabriela se levantó también sentándose al lado.

—Debemos irnos ahora —dijo él levantándose, ignorando su cercanía—. Voy a llamar al chofer, ¿tienes cómo irte a tu casa?

—Sí —contestó ella, sin esconder su decepción.

Andrés se puso de pie. Pensó que todo había quedado claro. Mañana sería otro día intenso y sus deseos personales no podían interponerse. Pero, ¿por qué lo dejaba tan perturbado? ¿Qué fuerza interna le invitaba a dejarse ir y disfrutar el momento? No debía preocuparse. Solo sería un caso como las otras veces. Tomó el teléfono y llamó al chofer, pidiéndole lo esperara en el sótano a la salida del ascensor.

—Bajo en cinco minutos —dijo, y colgó.

Gabriela se acercó y lo abrazó. Él le devolvió el abrazo y la besó, deslizando una de sus manos por su espalda, metiendo suavemente la otra entre sus cabellos, en un gesto que a ella le gustó. Se acercó más a él haciéndole sentir sus pechos y le siguió besando. En un momento, él se separó rápidamente, se despidió y salió, dejándola entre sorprendida y feliz.

En los días siguientes, su presencia fue más frecuente en la oficina de dirección. Andrés sentía que la necesitaba más y no había momento sin consultarle algo. Gabriela era una mujer de muchos recursos. Hacerse indispensable, era uno de ellos. Los planes empresariales junto con besos, largos abrazos y caricias intensas, se fueron haciendo parte de sus vidas.

Dos meses después, Andrés viajó a tres ciudades europeas, Berlín, Bruselas y Ámsterdam, donde se encontraría con clientes, para negociar y cerrar contratos. Decidió llevar a Gabriela, y ajustaron el programa para cumplir con sus requerimientos. Generalmente, en esos viajes le acompañaba alguno de los ejecutivos del área de Mercadeo, pero estaban recorriendo el sur de Francia, donde se abrían nuevas opciones de negocio. Este viaje lo entusiasmaba más que los anteriores. Francisca estaba en México y no tenía por qué saber más de lo necesario.

Todo fue transcurriendo como había sido planeado. Por las noches, después de las reuniones, salían a cenar y seguían hablando de trabajo. También coqueteaban todo el tiempo de manera sutil. Una de esas noches, en Berlín, tras terminar de preparar las reuniones del último día, acordaron pasar tomando algo. Después, el clima otoñal les dio el espacio propicio y lo demás salió natural. Degustando ese primer trago, él llamó para reservar una mesa en un restaurante indio muy recomendado, el Haveli, bastante bien ubicado en Schönberg, un pequeño municipio del distrito de Zwickau. Salieron del local y tomaron un taxi.

—¿Alguna música en especial? —preguntó el taxista en un inglés que les recordó una excolonia inglesa. Sonaba en el equipo de música *I'm happy just to dance with you,* de la primera época de Los Beatles, y él le dijo que estaba bien, y la música de *A hard day's night* les acompañó mientras iban avanzando por las calles.

El paisaje se difuminaba entre árboles casi sin hojas, amplias calzadas semi vacías y tristes edificios mojados por la lluvia reciente, imágenes que recordaban terribles historias de huidas, separaciones de familias y de ciudades destruidas. Una espesa neblina y la obstinada llovizna, provocaban que la poca gente en las calles caminara rápido, con las manos hundidas en los abrigos, como huyendo de un destino improbable, o queriendo alcanzar un final feliz. La noche se transformó en un momento íntimo entre ellos y les invitó a acercarse, pero ninguno dijo o hizo nada. Durante los quince minutos del trayecto entre el bar y el restaurante, la quietud era interrumpida algunas veces por el movimiento de la mano de ella sobre la de él.

El restaurante estaba lleno, la mayoría de las mesas eran ocupadas por grupos pequeños que hablaban en voz baja. Una anfitriona les hizo pasar a su mesa al lado de una ventana, las luces eran tenues, y divertidas lámparas con forma de pierna femenina, adornaba cada mesa. Se sentaron uno frente a la otra, el mesero les dejó una carta y sopesaron las opciones. Andrés preguntó por un buen vino alemán y ordenó un plato de *samosas* variadas. Después que les sirvieron el vino, Gabriela pidió un pescado *tandori* con arroz basmati, y él un curry de pollo.

Ella estaba admirada viéndolo seguro, divertido, hablando con el mesero, en inglés y un poco de alemán. Y lo hacía saboreando las emociones en su cuerpo, con sus manos en el mentón y una expresión de arrobo. "Es tan distinto de los jóvenes, tan desenvuelto, tan lejos de Jean-Paul" pensaba ella y sonreía. Le agradeció la invitación con una capa de coquetería, apretando suavemente su brazo para reiterar su agradecimiento.

—Entonces, ¿extrañas Guerrero? —dijo él, acercándose.

—Ah sí, claro, mucho. En especial a mi familia.

Andrés sabía por sus conversaciones de las noches, que era nacida en Tlamacazapa, pequeño poblado al norte de Guerrero, hija mayor de Anayeli Montalbán. Su padre les había abandonado. Era nacido en Texas, y en uno de sus viajes al pueblo conoció a Anayeli, se enamoró de ella, vivieron juntos un tiempo y desapareció al anunciarle su tercer embarazo.

Mientras ella seguía hablando, a él le parecía todo tan distante de su vida cómoda y del amor con el que había crecido y esto hacía que la imagen de ella, después de tanto sacrificio y carencias, creciera ante sus ojos.

Gabriela era como un punto detenido en el tiempo, una escena de distopía en un universo de realidades, un error en un destino seguro. Después de graduarse del colegio con honores, comenzó a estudiar Economía en la Universidad Autónoma de México. Una beca básica le alcanzaba para vivir en una casa donde alquilaban cuartos para señoritas, distante del campus. Ese tiempo fue duro para ella, lejos de su familia y con dificultades para insertarse en los grupos de chicas con quienes vivía en la casa.

En el último año de la carrera trabajó como asistente de un profesor, y ahí recién descubrió sus otras habilidades para la vida. Pero esas historias con el profesor no las compartió con Andrés, quien seguía encantando escuchándola. También se graduó con honores de la universidad, y con otra beca siguió estudios de posgrado en la Universidad de Chile. En cuanto pudo se despidió de la madre y de su hermana Bernarda, quienes ya vivían en Toluca, donde ésta asistía a la universidad. Dilapidó con el profesor una última noche de pasión y tomó el avión al sur. Era la primera vez que salía del país. En Santiago se deslumbró, la ciudad era moderna, de amplias avenidas y flamantes rascacielos.

—Pero ya lo estoy aburriendo —dijo, cuando notó que Andrés parecía haber dejado de ponerle atención, tomando un sorbo de vino. Pero él estaba interesado en sus relatos, y la invitó a continuar. Ella se animó.

Era historia conocida, aunque sonaba distinta de sus labios. Chile había salido hacía pocos años de la dictadura militar y el país se encaminaba al desarrollo. Las universidades estaban recuperando su anterior prestigio, y muchos jóvenes extranjeros llegaban a especializarse en las áreas de economía, finanzas y derecho. Gabriela rápidamente se insertó en la dinámica universitaria y pulió sus relaciones profesor-alumna, dándole un extra económico y mejorando su red de contactos. Pero eso tampoco se lo compartió.

—No sé por qué —dijo de pronto, volviéndose a Andrés con coquetería, con el último trozo de pastel y el café *espresso*— siempre me han atraído más los hombres mayores. La verdad es que no tengo mucho para compartir con los jóvenes, los mayores son más cultos, más interesantes, no sé, me siento con más cosas en común. En el fondo siento que soy como una persona mayor en cuerpo joven.

Y para comprobar su teoría se acercó más a él y le contó que, justo antes de terminar su segundo año del posgrado, un compañero de la universidad le habló de la apertura de varios puestos en Calgary Express, empresa de Estados Unidos especialista en programas informáticos. Le dijo que esa fue la manera de acercarse a su meta, ser parte de una transnacional.

—Pues claro que me interesa —le había contestado al amigo. Y, después de pasar las distintas etapas de pruebas, fue contratada. Una carrera ascendente para una chica tan joven. Su historia concluyó con el traslado a París, dos años más de trabajo en la empresa, el anuncio del puesto en el diario, y fin de la historia.

Ya la cena terminaba. Sobre la mesa auxiliar, reposaban la botella de vino vacía, las pequeñas tazas con restos de café y los platitos del postre.

—¿Quieres algo más? —la voz de Andrés la sacó de sus pensamientos.

—No, gracias, estoy bien.

Pidieron la cuenta, él pagó y salieron. En la puerta del restaurante abordaron un taxi que, veinte minutos después, los dejó a la entrada del hotel. Caminaron callados hacia el ascensor. Entraron. Andrés presionó el botón número doce y ella se acercó al tablero para hacer lo mismo con el número tres. Él quiso detenerla, pero la soltó cuando ella insistió en tocar el tres.

Al abrirse el ascensor en el tercer piso, él tomó de nuevo su mano queriendo detenerla, y dejaron que la puerta se cerrara. Continuaron así sin hablar hasta llegar al duodécimo piso. Se abrieron las puertas y él la tomó de la cintura. A Gabriela le gustó el gesto. Dio dos pasos hacia afuera, él la siguió y quedaron de frente, solos en el largo y solitario pasillo, al tiempo que el ascensor se cerraba, lentamente, como aguardando el arrepentimiento. Se buscaron y besaron.

Andrés abrió su habitación, dejando espacio para que ella entrara. La llave sobre el dispositivo hizo que todo se iluminara. Rápidamente apagó y quedaron alumbrados solo por los reflejos de las luces de la ciudad. Gabriela se volteó y le abrazó. En ese momento sonó la puerta al cerrarse y él recordó brevemente a Francisca, pero desechó sus pensamientos. "Ya veré mañana", pensó besándola. Ella se separó, empujándolo hacia el sillón en una esquina y empezó a desvestirse lentamente, con mucho cuidado, viéndole de frente. Desde su sitio y casi sin moverse.

Toda la noche habían coqueteado abiertamente, y sus cuerpos estaban ansiosos de sentirse. Gabriela lo sabía y jugaba con eso. Abrió el cierre y dejó caer la falda, se desabotonó la blusa. Cuando se desprendió el sostén y sus pechos quedaron al descubierto, él abandonó las últimas dudas. Entonces ella se acercó al sillón desde donde él la seguía observando y se inclinó lo justo para que Andrés pudiera acariciarlos. Metió su rostro entre sus senos sosteniéndolos con ambas manos, besándolos y mordiéndolos suavemente.

Acariciando su cuerpo encontró una pequeña cicatriz en la cadera, que empezó a explorar con su lengua. Ella, al contacto con la marca, se revolvió, y sentándose a horcajadas entre sus piernas, lo besó. Las manos de Andrés pronto se perdieron en su joven sexo, hurgando entre la pieza diminuta de ropa que aún llevaba puesta y la arrancó de un tirón. Gabriela se levantó y él con ella, y ahí mismo, uno frente al otro, la penetró levantándola entre sus brazos sin mayor esfuerzo. Se separaron cuando ella gritó satisfecha, y él sintió la pasión crecida en ese pequeño cuerpo que lo recibía con tanta excitación. Siguió una y otra vez recorriéndolo, queriendo marcarlo en su memoria, con el gusto de los cálidos olores y sabores de esa piel nueva y luminosa, que ahora se quedaría atada a su vida.

Afuera, la lluvia empezó a caer como anunciando una noche muy larga y oscura. Azotaba los ventanales del hotel, como si les quisiera advertir algo, en tanto ellos vivían una y otra vez su pasión, ignorando su furia. El tiempo se les hizo breve, hasta que el cansancio los venció y durmieron abrazados como viejos amantes.

10. FUERON LAS JÓVENES MUJERES…

Poner en operación las redes de apoyo para las mujeres atendidas, exigió casi todo el tiempo inicial de Francisca en París. A veces sentía que se dejaba ir dentro de una maraña de emociones al ver a las mujeres casi niñas, perdidas en la inmensidad del desconsuelo. Muchas eran de origen mexicano y sudamericano, pero la mayoría eran del norte de África. Recién comenzando quiso dirigir sus esfuerzos hacia las mexicanas.

—En esto no puede haber preferencias —le dijo Joaquina, la joven catalana directora de la Organización Mundial contra la Trata de Personas. Con su auspicio había logrado registrar sus títulos, obtener su carnet de residencia y permiso para trabajar en el país.

Joaquina estaba casada con un francés muy simpático, Jacques, funcionario de una organización internacional de apoyo a la infancia. Se hicieron muy amigos los cuatro y podían conversar por horas sobre los problemas del mundo. Salían juntos al teatro, a cenar, o a pasar el rato en alguno de sus respectivos departamentos, donde a veces invitaban a otros colegas de la oficina. Andrés se sentía como pez en el agua en esas reuniones, y era uno de sus más fervorosos participantes. Hasta que empezó a distanciarse. "Tengo un compromiso, debo terminar un informe, mañana hay una conferencia telefónica y debo prepararme", eran algunas de sus excusas.

En los siguientes dos años, Francisca se convirtió en una de las principales asesoras jurídicas de la organización y también acompañaba varios casos de mujeres migrantes que habían sufrido de violencia. Una de ellas fue Simone.

No tenía más de veinticinco años, pero parecía mucho mayor. Sus ojos hundidos por la tristeza se mostraban rodeados de miedo. Era marroquí, y cinco años atrás había llegado con un grupo de mujeres contratadas como empleadas domésticas. Pronto descubrieron que serían parte de la oferta de un prostíbulo ubicado en el barrio de Saint Denis. La Maison de Tolerance parecía un nombre muy apropiado para su oficio. Las jóvenes fueron a parar a manos de un traficante apodado Encino, quien, usando sus influencias, les gestionó su residencia y las mantenía bajo su control. Ni siquiera hablaban bien el francés.

Simone tuvo mejor suerte, si tal suerte se considera ser ubicada como doméstica en una residencia y vivir con Encino. Era tanta la diferencia de edades, que Simone podía pasar por su nieta. Al poco tiempo fue obligada a atender a clientes especiales que les reportaban ganancias, y a cambio Encino le ofrecía cuidados especiales, a ella y sus documentos. Con el transcurrir del tiempo, Simone se sentía más atrapada y más impaciente. Cada vez veía más lejana su ansiada libertad. Había terminado por perder todo contacto con su familia, y no conocía a nadie, más allá de las otras mujeres que estaban peor que ella, cautivas en ese infierno. Además, no tenía idea de dónde podría ir, fuera de los tugurios donde se movía con Encino.

Un día fue requerida para atender a un grupo de empresarios. Encino la llevó al departamento donde se realizaría la fiesta. Iba ataviada de alta gala: vestido largo, tacos muy altos y peinado de salón. Su delgadez infinita se traslucía en el traje negro que se pegaba a su piel.

El anfitrión, tan delgado como ella, la condujo al centro del salón, donde se había colocado un amplio sillón redondo. Se le indicó que se acercara y su delgado compañero le pidió que se sacara la ropa. Lentamente se la sacó y la entregó al joven que, de pie, esperaba a su lado. Ninguno de los asistentes a la fiesta parecía interesados en ellos. No entendía nada, nunca había estado en situación semejante, sus encargos anteriores habían sido personales y no de grupo. Y de repente empezó el horror. Cada uno de los invitados debía pasar cerca de ella para disponer del presente que Encino les había enviado. Con los ojos cerrados no se percató del tiempo transcurrido, no entendió qué clase de ceremonia extraña era esa, solo supo que horas después estaba fuera del departamento, la ropa y los zapatos en las manos y el joven delgado a su lado, indicándole que terminara de vestirse y caminara. Lágrimas de rabia y dolor corrían por su rostro.

Al llegar al auto donde la esperaba Encino, empezó a reclamar agitada, sin saber si le dolía más el cuerpo o los pensamientos arremolinados en su cabeza. Ese día algo explotó en ese pequeño cuerpo, albergando una fuerza desconocida por ella, tanto que se atrevió a sacar a una nueva Simone y a reclamar a su captor. Encino se sorprendió al verse cuestionado, y la arrastró fuera del auto.

—No puedo respirar —balbuceó la chica en algún momento, queriendo escapar inútilmente del abrazo del hombre que había prometido protegerla. La golpeó y solo la soltó cuando ella se quedó quieta. Al sentir que iba cayendo, Simone se enrolló como ovillo, y así permaneció, encogida al lado de la acera, llorando sin fuerzas hasta quedar inconsciente.

Encino la dejó tirada en el oscuro callejón. Creyó haberla matado y huyó.

Horas después despertó en la sala de emergencias de un hospital.

—¿Cómo llegué aquí? —preguntó casi sin aliento a la enfermera parada a su lado.

—Vino… un joven…elegante, delgado, no supimos su nombre —entendió parcialmente la respuesta de la sanitaria, que sin terminar de curarle las heridas superficiales la pasó a cuidados intensivos. Entró en coma.

Tres semanas estuvo en el centro hospitalario, una semana sin despertar y dos más con el terror de ser descubierta por su torturador. La Policía se hizo cargo de su caso y la convencieron de interponer denuncia contra la red, con la información privilegiada que le daba haber sido pareja de quien la manejaba. Después arreglarían su estatus migratorio. A pesar de sus temores, Simone nunca estuvo más segura de lo que debía hacer. En sesiones de varios días, contó su historia.

En la delegación para las víctimas de la *Police nationale*, Francisca esperaba a ser llamada para el caso de Simone y revisaba otros casos pendientes, entonces la vio entrar escoltada por dos mujeres policías. Le llamó la atención su rostro triste, su cuerpo delgado y un pequeño bolso con sus pertenencias. En uno de los bolsillos del pantalón llevaba el dinero que algunas enfermeras recolectaron para ella. La ropa le había sido entregada en el mismo hospital, y parecía ajena a ella, le sobraba por todos lados, y las botas que traía sonaban al caminar.

Simone se sentó frente a la oficial de Policía. Francisca se quedó quieta intentando entender lo que pasaba. Tiempo después la oficial la llamó y le pidió que las acompañase. Le narró la historia de la chica y la necesidad de contar con un espacio para su protección. Así fue como Simone pasó a ser otro de sus casos.

Dos meses después de ese encuentro, Encino insistiría en recuperarla, y Simone volvería con él. Varias veces más la cubrió de nuevos golpes y nuevos arrepentimientos, hasta el día en que finalmente fue capturado y puesto a disposición de las autoridades. Casi al mismo tiempo, Joaquina recibió una llamada telefónica. Era Simone desde la *Police nationale* pidiendo ser aceptada en el programa de acogida. Joaquina le reasignó el caso a Francisca, quien le prometió ir a buscarla y ubicarla en uno de los centros.

Ese día, Francisca y Andrés habían quedado de encontrarse por la noche con Joaquina y Jacques, para asistir a un concierto en el Café Universel, muy cerca de la calle Saint-Germain, donde se presentaba un grupo de jóvenes músicos marroquíes. En los años previos a su llegada a París, la música magrebí luchaba por salir de los espacios culturales más restringidos y alternativos de las poblaciones migrantes, y saltar a los clubes mixtos que los jóvenes franceses llenaban todas las noches. El grupo Solitude Pure, había pasado desde conciertos callejeros, al pequeño club de *jazz*. La música era una mezcla de *raï, jazz* y *rock*, con sonidos del norte de África y Occidente. Su versión de *Les Amours perdues,* de Serge Gainsbourg, era muy escuchado en la radio. Un centenar de personas se agolpaban frente a la entrada del lugar donde actuaban los fines de semana.

Antes de irse al club, Francisca tomó un taxi y se dirigió a la delegación de policía. Al bajar, miró al frente, en una acera semioscura, unos tipos que fumaban le miraban con curiosidad, ella trató de no pensar en el miedo que sentía. Recordó el incidente en México cuando, al salir libre Bruno de su primer juicio, mostró su extrema brutalidad al hacerle frente y amenazarlas, a ella y a Fania. Ahora apuró el paso, cruzó delante del taxi pidiéndole al conductor que esperara, y se dirigió resueltamente al interior de la delegación, donde Simone la esperaba en la pequeña salita cerca de la puerta acompañada de una oficial de policía.

—Vamos —le dijo sin transmitirle su miedo. Agradeció a las oficiales y firmó la orden de cuido y salida al refugio.

Las dos mujeres salieron del brazo y subieron al taxi sin voltear a ninguna parte. Francisca le dio la dirección del refugio al conductor, con voz tan baja que él le pidió que la repitiera. Le sonrió a Simone colocándole en la muñeca el listón morado con la inscripción en letras negras de la frase "Je peux", y más abajo un nombre y un teléfono. A partir de la semana siguiente debían prepararla para ser testigo clave en el proceso.

Entraron juntas al refugio, tal como habían salido de la delegación, tomadas del brazo. El local era vigilado por la policía, muchas de las chicas ahí protegidas eran migrantes indocumentadas que seguían procesos legales distintos.

Se ubicaba en los suburbios de la ciudad, en el barrio Saint Denis, en una vieja casa donada por una familia francesa, hacía varios años. Se le habían hecho ciertos arreglos y ahora lucía limpia y pintada de blanco, como ocultando los dolores de las mujeres ahí refugiadas. Algunas, inclusive, eran alojadas con sus pequeños hijos. Era un albergue temporal, en tanto se les ayudaba a iniciar una nueva vida. Al dejarla instalada, le dio un abrazo del cual Simone no se quería liberar.

—Todo estará bien —le dijo con voz firme, aunque en el fondo temía lo que pudiera pasar con ella.

Se soltó del abrazo y le explicó que volvería al día siguiente, pues debía descansar. Se lo dijo despacio y suavemente, para hacerse entender. Salió corriendo, el taxi esperaba. Se subió y le dio la dirección del Café Universel.

Al llegar, ya estaban ahí Joaquina y Jacques, y les saludó efusivamente.

— ¿Aún no llega Andrés? —preguntó.

—No, pensamos que venía contigo.

—No —dijo ella—. Le he llamado al celular, pero no me responde. *Monsieur, s'il vous plaît, une vodka tonic* —le indicó al mesero que pasaba en ese momento.

Los amigos la observaban, intentando descifrar las señales de su rostro pálido. Al llegar su bebida, tomó un largo sorbo y comenzó a narrarles la historia reciente con Simone y los planes para el día siguiente. Joaquina retomó la conversación y la comenzó a interrogar. Una hora, ocho canciones y dos *vodka-tonic* después, vieron entrar a Andrés, caminando en medio de la humareda del local. Se acercó a Francisca dándole un beso en la mejilla, y brindó efusivos abrazos a Joaquina y Jacques.

—Lo siento, una reunión interminable. ¿Qué están tomando? —dijo levantando la mano al mesero para pedir — lo mismo que ella— señalando el trago de Francisca, quien lo miró queriendo leer su rostro. Él le acarició el suyo intentando tranquilizarla, mientras sonaba una melodía triste.

Dos meses después se realizó el juicio. Desde que Simone aceptó declarar contra Encino y su gente, había tenido personas a su lado acompañándola y protegiéndola. Temprano entraron Francisca y Simone al gran salón. Ella se disminuyó al ver el alto techo y las paredes recubiertas de madera, adornadas con retratos de hombres de rostros adustos, posiblemente jueces fallecidos a quienes se quería honrar. Desde su sitio, las imágenes parecían juzgar a quienes entraban y eso sintió Simone, cuando se quedó viéndolos con su cara de niña asustada. Al fondo y en el centro de la sala sobresalía el sillón principal, de cuero negro, desde donde presidiría el juez. Francisca le presionó suavemente la mano, y la invitó a ocupar el sitio reservado para los testigos. A su lado esperaba la intérprete que les ayudaría en caso de necesidad. La sala se empezó a llenar.

Cinco minutos después de sentarse, se oyeron dos golpes sobre el piso de madera anunciando la entrada del juez Leduc, viejo abogado muy conocido por llevar casos relacionados con tráfico de personas, y allegado a movimientos sociales. Poco después ingresaron los acusados. Simone se encogió aún más, y Francisca sintió temor de que se arrepintiera ante las miradas de los traficantes.

Cuando escuchó su nombre, Simone se levantó resuelta y caminó al frente sin ver a ningún otro lado, tocándose nerviosamente el brazalete con las palabras "Yo puedo" como una especie de amuleto. Subió al estrado y se comprometió a decir la verdad. Empezó su relato después de escuchar atentamente las preguntas del fiscal, con una traductora a su lado.

Las miradas y movimientos de cabeza de los jurados indicaban su consternación por las revelaciones de Simone, que, con su voz pausada y tranquila, iba describiendo los horrores vividos por las mujeres en manos de los acusados encabezados por Encino.

En una declaración que quiso hacer en francés, a veces interrumpida para encontrar las palabras desconocidas o para pedirle ayuda a la intérprete, Simone relató el largo camino entre su poblado, cercano a Ceuta, y las rutas de los traficantes para evadir los controles, las noches que durmieron ocultas en apestosas bodegas, sin luz ni ventilación, de techos oxidados y cercadas con alambrada de gallinero, al tope de desechos, como ellas, tratadas como tales; los gritos en la oscuridad, sin saber de dónde procedían o por qué se originaban; la pérdida del recuento de los días y noches hasta que les obligaron a hacinarse en un barco; la travesía, las ratas corriendo sobre sus piernas, la humedad, el silencio y ellas ocultas en la noche; otro viaje por caminos desconocidos; atravesar la frontera encerradas en furgones entre cajones de carga insospechada. La llegada, el desencanto, la separación de las amigas conocidas en el trayecto, las ciudades en una realidad paralela, nada parecido a lo que tanto habían soñado, rostros y palabras que no entendían, expulsadas a una vida que ya no sabían dónde terminaría. Los llantos desgarrados de las niñas apartadas de las madres, y ubicadas en jaulas, como si animales fuesen; y la colocación final al lado de Encino, viéndolo como su salvador, dando gracias por lo que ella consideraba su suerte. Después de casi media hora de una especie de monólogo, el juez le pidió detenerse, le ofreció agua y le explicó que podía tomarse su tiempo.

—No, señor juez, gracias. Solo quiero terminar lo que he venido a hacer.

Francisca estaba sorprendida por la fuerza de Simone. No podía creer que era la mujer casi niña que minutos antes temblaba, y a quien le sudaban sus manos, y ahora describía con lujo de detalles los sitios, las horas, los encuentros, sin perder ningún punto, en especial de la última noche de terror con los empresarios, todo le revolvía la memoria. Al terminar su alocución, Simone se levantó, caminó hacia Francisca y en voz muy baja le dijo:

—Se acabó el miedo.

Simone necesitaría un sitio seguro donde quedarse desde ese momento, pues no podían correrse riesgos. La delegación para las víctimas ofreció hacerse cargo y llevarla a una residencia de testigos protegidos durante el juicio. Más adelante, Simone podría decidir entre regresar a su país o acogerse a una promesa de asilo.

Pero esto sería un tema posterior, ahora solo querían terminar con esta historia.

11. UN MUNDO DISTINTO

Al tiempo que Francisca se iba insertando en la vida cotidiana en París, Itzel buscaba su propio camino en San Miguel. Por años había retrasado la decisión de volver. No quiso dejarla cuando criaba a los hijos, tampoco en el tiempo que se comprometió con su proyecto contra la violencia o cuando se duplicaron los procesos penales. Había dedicado su vida a esta hija adquirida en medio de una muerte, y no le pesaba. Pero ambas sabían que un día debían separarse. El viaje a Francia fue el punto final.

Francisca sintió perderla. —¿Dónde estaremos en 10 años? ¿habrán cambiado las cosas aquí?

Itzel, con su rostro adusto, pero segura de lo que hacía, contestó: —No creo, las cosas no cambian a la velocidad que quisiéramos. Pero debo intentarlo.

—Igual yo, y debo respetar tu decisión, este es el momento —y con un prolongado abrazo se cerró la conversación.

Acordaron con Andrés entregarle una magnífica compensación monetaria y un estipendio mensual al quedar como administradora de las dos casas en Coyoacán, a donde viajaría una vez al mes. Itzel usaría las visitas para seguir de cerca las labores del Centro, y formarse para volver a su pueblo a ayudarle a las jóvenes que sufrían de violencia. Tenía conocimientos especiales, sabiduría ancestral, fuerza, seguridad y calma, para lograrlo. Y consideraba un deber hacerlo.

Su regreso de manera permanente fue un suceso, muchos años fuera la habían convertido casi en una extraña. Debía empezar por recuperar la confianza de la gente. Con el dinero de su compensación instaló primero un pequeño centro de distribución de alimentos, que más tarde dejó en manos de una hija de Dorotea. Después fue conociendo, junto a Dorotea e Itzán, las necesidades de las más jóvenes, las luchas contra la violencia, de sus dolores y sus pérdidas.

Supieron de la niña que se lanzó al río, abajo de la cañada del pueblo, cuando se embarazó y tuvo terror al castigo de la madre. Pasó a ser parte del listado de mujeres que mueren por no querer ser madres. De la chica que huyó para no caer en un matrimonio arreglado con un hombre veinte años mayor. No lo toleraba. Se fue con el novio, y el padre la alcanzó. Hoy era una más de las mujeres asesinadas para salvar el *honor* familiar. De la mujer que no aceptó que su marido abusara de su hija menor. Lo hizo pagar, y así fue castigada. Veinte años era poco para aplicar su propia justicia.

—Porque creen que esa es la vida de las mujeres pobres, aguantar al hombre, como las han sentenciado siempre, es un pensamiento muy difícil de sacar de ellas —repetían en sus reuniones—. Esas niñas-madres, niñas-viudas, y todas las que huyeron para no saber, o por no querer.

Decidieron instalar el primer centro de refugio, similar al de Coyocán. Su vieja casa fue reconvertida en un espacio abierto, con dos corredores y un jardín central cobijado por helechos colgantes de las vigas, una pequeña fuente de agua llena de plantas, alegraba las tardes de encuentro de las jóvenes que se reunían para aprender algún oficio. Y con la misma pasión que Francisca le conocía, Itzel aplicaba y reproducía con las jóvenes en las aldeas lo aprendido en el Centro. Conversaban, les llevaban comida, las cuidaban y les enseñaban a defenderse. Jóvenes que necesitaban un espacio para recomenzar sus vidas, para no ser parte de las estadísticas de terror.

Así fueron convirtiéndose en activistas sociales, —largo tiempo esperamos hacerlo, hay tanto que hacer—, sus iniciativas pronto fueron reconocidas por los grupos comunitarios y la propia Itzel se fue perfilando como dirigente social y política. Eran tiempos de machismo, de violencia contra las mujeres y en esas condiciones fueron haciendo un formidable trabajo. Itzel misma se había sorprendido de la respuesta recibida por las mujeres que, como si hubieran perdido el miedo, llegaban desde otras comunidades a escucharla y brindar su colaboración.

Después de años de esfuerzos, de constante compromiso y cercanía con la gente, la llevaron a ser electa, por amplia mayoría, como la primera alcaldesa indígena del Estado. Un ciclo de vida que Francisca, aunque orgullosa, solo acompañaría de lejos. Pero no todo fue bien recibido. Su rápido ascenso político y su trabajo contra la violencia a las mujeres, levantó animadversiones de los grandes señores y dirigentes, acostumbrados a disponer los destinos de la gente. Les amedrentaba su presencia, su voz dulce y segura, su porte, mucho más que el puesto de alcaldesa. Hablaba bien y llamaba mucho la atención y no siempre de la mejor manera.

Las denuncias de Itzel les darían no pocos disgustos a ese sistema patriarcal que no era nada fácil de cambiar, pero ella estaba dispuesta a enfrentar esos y otros riesgos. Tanto esfuerzo levantó suspicacias y enemistades y también atrajeron el interés de distintos organismos y del gobierno estatal. Su mayor preocupación fue después de las campañas de difusión contra la violencia, cuando comenzaron las advertencias.

—No te preocupes mi niña, no me va a pasar nada —le decía a Francisca cuando se comunicaban en las largas llamadas que mes a mes tenían, ella le pedía que se cuidara— hay mucha agente descontenta con lo que hacemos, hay grupos peligrosos, pero es más la gente buena, no te preocupes mi niña, no le temo a nada. Pero también le dijo que se sentía sola. Había poco interés de las autoridades y mucho acoso de los señores del pueblo, y se precisaba más ayuda.

12. MIENTRAS TANTO EN PARÍS…

Después de varios años en París, cayeron en los insípidos vericuetos de la vida cotidiana, cada uno inmerso en sus proyectos y actividades. La novedad de los primeros tiempos se había ido perdiendo. Los hijos habían decidido radicarse de manera definitiva en Europa. Carlos, el mayor, trabajaba en una oficina de diseño y construcción, desde donde luchaba por afianzarse en el codiciado mundo de la arquitectura en Barcelona, y estaba de novio con una chica francesa, con planes para vivir juntos. Pablo había montado su primera exposición con éxito, lo que le permitía moverse como novel pintor en círculos artísticos de París. Le había revelado a la familia que era *gay* y había superado las dificultades iniciales para lograr la aceptación de su nueva vida.

Francisca se había ido especializando en las redes de protección a niñas y jóvenes migrantes solas, exigiéndole mucho esfuerzo físico y emocional. Era agobiante para ella ver cómo cada día aparecían más niñas en situación de riesgo y no se vislumbraban posibilidades de mejorar. Pero a pesar de tanto dolor, se reafirmaba en lo que hacía.

Una de esas tardes frías de octubre, había salido agotada y triste después de una de sus largas reuniones en la oficina de la Organización, en la calle Mouffetard. Fue especialmente difícil porque, después de meses de preparación, y cuando ya tenían casi todo listo para iniciar el proceso legal contra un grupo traficante de adolescentes entre Kenia y Francia, les habían informado que la Interpol había descubierto a un alto funcionario internacional que los protegía, y tenían temor de que las niñas fueran reubicadas del sitio donde estaban custodiadas, sin poder dar con su paradero.

Después de discutir y no llegar a ningún acuerdo para manejar el caso, sentía que no sabía cómo lidiar con ella misma cuando llegaba a un momento como éste, en una especie de callejón sin salida. Por más fuerte y a pesar de la forma como manejaba sus emociones, trabajar contra el tráfico de personas y la violencia contra las mujeres, siempre la dejaba abatida y necesitada. Sacudió la cabeza como siempre hacía para sacar sus oscuros pensamientos y subió al Metro. Había acordado encontrarse con Andrés y cenar juntos, le ilusionaba compartirle sus aprehensiones y dudas, y sentía la necesidad de su fuerte abrazo para conseguir bajar todas las tensiones.

Se bajó en la estación Place Monge, entró al café L'Inevitable y pidió un té de menta. Quería calmarse antes de verlo.

Tampoco las noticias recibidas por la mañana desde México eran mejores. Sus socias la requerían allá debido a que los últimos casos en el juzgado se habían complicado, y podrían perder a dos de los principales testigos para acusar a una red de trata de mujeres. Las niñas habían sido amenazadas con matar a su familia si los denunciaban. Debían protegerlas. Todo lo tenían listo y era un caso que Francisca había asumido desde su inicio.

Una familia cerca de Tapachula, en la frontera entre Guatemala y México, había organizado una red de tráfico de jóvenes mujeres centroamericanas y mexicanas. Las llevaban engañadas con la vieja historia del trabajo seguro. La situación política y social en Centroamérica y el sur de México era desesperante. La migración se había desbordado, y las niñas y mujeres eran las principales víctimas de los abusos a lo largo de la ruta hacia el norte. En apoyo a las autoridades, un equipo del Centro obtuvo información con la que podrían descubrir a una parte de la red y algunos de sus líderes aguardaban juicio al norte de Ciudad de México, pero las víctimas debían asegurar su testimonio durante el proceso. La organización en Francia les ayudaría a financiar los pasajes de Guatemala a México, y el tiempo necesario de estadía de las familias de las niñas en un lugar seguro durante el juicio, que bien podría durar meses y hasta años en algunos casos.

Mordisqueando una galleta y sorbiendo el té caliente, siguió pensativa viendo las hojas de menta en el fondo de la taza, queriendo encontrar la paz que hacía días la había abandonado. Suspiró profundamente. Minutos después pagó su consumición y sintió alivio al creer que sus oscuros pensamientos salían de su mente.

Al salir del café se detuvo un instante observando a su alrededor y fue entonces cuando les vio. Estaban en la esquina del edificio donde Andrés asistiría a su última reunión, justo enfrente del local donde ella esperaba para cruzar la calle. Gabriela estaba de pie a su lado posando su mano derecha sobre el brazo y se miraban. Ella se empinó y le susurró algo al oído, él arqueó la espalda en leve contracción hacia atrás sonriendo coquetamente, esa sonrisa que ella conocía tan bien.

Gabriela entonces se puso frente a él, le tomó el otro brazo y se acercó más. El la abrazó. Francisca, desde su sitio de espectadora, sintió cómo su cuerpo se rebelaba. Una punzada le atravesó el estómago y la cabeza, como si un frío invernal le hubiera calado el cuerpo y se apoderara de la última fibra de paz que aún permanecía dentro.

Entonces, Andrés la vio. Se separó de la chica de manera cuidadosa diciéndole algunas palabras, caminó hacia la calle, miró a ambos lados y empezó a cruzar dando grandes zancadas hasta quedar frente a Francisca. La tomó del brazo y con la otra mano la acercó a su pecho. Ella sintió como si una descarga eléctrica la hubiera alcanzado. Gabriela continuó en la otra acera sonriendo tímidamente, sin saber si acercarse o quedarse en el mismo sitio. Francisca se mantuvo rígida, movió su mano a modo de saludo, distante, queriendo evitar que ella se acercara. Le extrañó ese sentimiento profundo de ira que sin éxito trató de evitar, porque solo al pensar en esa pequeña mano que subía reptando hasta tomar el brazo de él, se le enrojecían las mejillas y le temblaban las piernas.

Andrés la miró con ojos tristes, pues no sabía cómo lidiar con la situación. Se había convencido de esto. Se lo repetía a sí mismo cada vez que se encontraban. "Lo mío con ella no tiene la menor importancia. ¿Es real? ¿Puedo dejar de verla? ¿Debo dejarla ir de la empresa? Eso era una condición en su vida. Puedo tener breves pasajes de encuentros físicos, sexuales, pero no relaciones".

Para Andrés era un afán de coleccionar retazos de piel y rostros, de jóvenes dóciles que seducir y disfrutar de juegos pasionales y placer cercano al dolor, hasta que llegaba el momento del hartazgo. Con el tiempo su interés y la emoción decaían, y entonces todo se reflejaba como lo que siempre había sido, una ilusión pasajera. El cuerpo no sentiría lo mismo, y ahí sería el momento de cortar y salir de nuevo a la cacería. Puro placer, puro disfrute.

Amaba a Francisca. Las otras solo eran pasajes sin ninguna importancia. Igual era con Gabriela. Ninguna importancia. Ahora mismo las veía a las dos y comprobaba una vez más que era una idiotez seguir con el juego.

Francisca dio la vuelta y empezó a andar en dirección a la estación del Metro. Le sintió caminar detrás y después ponerse al paso de ella. Caminaron juntos en silencio. Ya no quiso ir a cenar, tenía todas sus emociones en alerta, estaba a punto de llorar y no quería que él la viera así. Se sentó en el primer asiento vacío del vagón y él se quedó de pie a su lado. En algún momento le quiso tomar la mano, gesto que ella rechazó con delicadeza, aparentando tomar algo de su bolso. Llegaron al departamento y ella mencionó que debía revisar unos documentos en el estudio, él no insistió y se encaminó al dormitorio, dándole las buenas noches con un beso en la mejilla, que ella no rechazó.

Dos horas después Francisca entró a la habitación, y completó su rutina antes de acostarse, lentamente y en silencio. Las lágrimas pugnaban por salir, pero las eliminó con agua fría.

Después, en algún momento, en la penumbra de la habitación, con Andrés roncando suavemente, ella se sintió sola.

13. GRISELDA

Rosa, la asistente, entró para informarle que le buscaba una joven llamada Griselda. Andrés levantó la vista sorprendido, pero rápidamente se recompuso. En los años que llevaba en París sabía que la podría encontrar de nuevo, pero no esperaba que fuera este día. Rosa seguía en la puerta.

—Dice que usted la conoce. Solo le recuerdo la reunión en una hora, con el equipo de mercadeo que ayer regresó de Alemania.

—Gracias Rosa. Hazla pasar y me avisas diez minutos antes de la reunión por favor.

Al despacho entró una joven morena de cuerpo modulado, vestida de negro, con zapatos altos color mostaza y un bolso en conjunto.

—Buenos días chico —dijo extendiendo su mano.

Andrés la miró, y en un movimiento sincronizado, se levantó, tomó la mano, le dio un beso en cada mejilla y la invitó a sentarse en uno de los sillones, y volvieron sus gratos recuerdos. Este encuentro no era fortuito. Griselda había visto su foto en la sección de económicas de un diario, cuando celebraron el cierre de uno de los últimos acuerdos comerciales con un cliente mayorista del país.

—¡Cómo no acordarse de ella! —se dijo finalmente, admirando sus muslos morenos, y evocando la situación extraña que habían compartido hacía varios años y los encuentros posteriores. Su memoria no era de las mejores, pero sí la recordaba. Aunque ahora parecía muy distinta.

La conoció en uno de sus viajes ocasionales a París, antes de su traslado definitivo. Había aceptado salir con un viejo amigo de infancia, quien le prometió llevarle a un lugar especial, un club de desnudistas. Era como volver al pasado, cuando siendo muy jóvenes salían como en manada, escondidos y sintiéndose culpables. Pero ya no tenían diecisiete años.

Entraron al club y un personaje sombrío a cargo de la entrada los llevó a su mesa. Se sentía incómodo con ropa de oficina en ese lugar. Nunca le gustaron esos antros, gente medio ebria, idiotizada por alguna droga, mujeres tratadas como mercancías. Iba a darse la vuelta y salir, pero el amigo insistió. Ya no había nada que hacer.

—Hay varias latinas, y hasta tres mexicanas —le dijo, sopesando algún incremento del interés de Andrés con ese dato. Una joven mesera, con faldas muy cortas y una blusa tremendamente abierta señalando la línea de sus pechos, les puso una botella de *whisky* y dos vasos en la mesa. Un baldecito metálico con hielo completaba la escena.

—A ver, a ver, brindemos —dijo el amigo, llenando los vasos con *whisky*, malo, el único en el salón. Comenzó a sonar *C'est si bon*, y del centro de los cortinones púrpuras salió una pierna forrada en media negra, seguida de inmediato por un cuerpo esbelto y moreno, con ropas minúsculas y estridentes. La bailarina vestía como policía, un uniforme tachonado de lentejuelas y una blusita azul brillante, de donde luchaban por liberarse sus senos. Una máscara negra sobre el rostro solo dejaba ver parte de su nariz y boca. Andrés se acomodó para admirar a la joven, que bailó hasta quedarse primero en un pequeño bikini azul y después completamente desnuda sin sacarse nunca el antifaz. Terminó la música y continuaron dos chicas más, hasta llegar a la cuarta joven, menuda, un poco regordeta, de hermosas piernas y sensuales movimientos, seguida por los ojos de la anhelante clientela. Una mirada casi triste se podía observar a pesar del antifaz negro con bordes plateados, que al igual que las demás, ella también llevaba sobre su rostro. Los hombres sentados a la orilla de la pista le tiraban billetes de varias denominaciones, o se los colocaban en el pequeño bikini cuando ella pasaba cerca. Andrés estaba admirado de la atención suscitada por la joven, que hacía piruetas al ritmo de la música en el tubo del centro del escenario.

—Ya tengo a dos amigas reservadas para que se sienten con nosotros, y vayamos después a algún lado —le soltó su compañero.

—No —le contestó de manera tajante. No se iba a involucrar más en sus locuras, ya no estaba para esos juegos.

La chica terminó su baile y tras los aplausos, se retiró detrás del brillante cortinaje. Momentos después, por un pasillo lateral, salía vestida con un trajecito negro de pocos brillos, con abalorios dorados en su cuello y brazos. Se mostraba arrogante y segura, como siguiendo su *performance* sobre la tarima. Los miró de lejos y se acercó directamente a su mesa. Andrés no estuvo seguro si era la misma joven hasta que la tuvo cerca.

—Hola, ¿me puedo sentar? —y tomando una silla sin esperar respuesta, se sentó al lado de Andrés.

—¿Me traes un vaso? —le pidió al mesero cuando pasó al lado—. ¿No les importa si me quedo aquí? —preguntó a los dos amigos que la veían sin entender lo que pasaba.

—Sí, claro que te puedes quedar — respondieron casi al mismo tiempo.

Andrés se tomó el trago rápidamente y miró al amigo como pidiéndole otro, quien después de servirle se levantó al baño.

Al regresar a la mesa, ya reían juntos.

—¿Desde cuándo trabajas aquí? —escuchó que le preguntaba.

—Hace cuatro años. Vine invitada por un amigo que me pidió sustituir a una de las chicas. Hice una prueba, y me contrataron.

Ahí se detuvo como pensando lo que diría a continuación.

—Si quieren vamos a otro lugar, ya terminé mi noche aquí.

Ambos se miraron intentando encontrar una respuesta común.

—Bueno —dijo el amigo— vayan ustedes. Yo me voy a casa porque mañana tengo un compromiso temprano—. Andrés sintió como si le hubieran puesto una emboscada.

—Está bien por mí —dijo ella, al tiempo que se levantaba, recogía sus cosas y se encaminaba a la puerta. Él sin saber qué decir, se levantó y la siguió. Salieron a la calle y el guarda de la entrada les llamó un taxi. En el camino le contó que su nombre era Griselda, que había sido policía y después asistente de una empresa de seguridad, cerrada por falta de clientes.

—Como si la ciudad no necesitara mayor cuidado.

Fue en ese entonces cuando el amigo la invitó a entrar al mercado de los clubes. No le iba nada mal.

—¿No has intentado hacer alguna otra cosa? —se atrevió a preguntarle.

"La manía de la gente de pensar que si trabajas desnudándote es porque eres víctima de alguien, y no porque te da la gana hacerlo", pensó ella.

—No me parece justo que estés ahí vendiéndote como un objeto —continuó ya con más confianza, con ese modo suyo de querer cambiarle la vida a la gente.

—¿Y quién decide lo que es objeto y lo que no? —le contestó ella—. Doble a la derecha en la esquina —le indicó al taxista.

Andrés debía tomar el avión de regreso a México al día siguiente. Se volteó a la chica.

—¿Dónde vamos?

—Depende —contestó—, ¿iremos juntos o me dejarás terminar sola la noche?

Otra vez no supo qué responder. Miró por el espejo al taxista como preguntándole qué pasaría a continuación, recibiendo una sonrisa cómplice que le dejó más confundido. En esos largos segundos de reflexión, la chica puso una mano sobre su pierna y empezó a subirla lentamente. Sin inmutarse Andrés dijo:

—¿Dónde vives? Vamos allá.

La chica no estaba dispuesta a terminar sola la noche. Insistió con su mano sobre la pierna de él, a punto de ser convencido.

—Yo le indicaré al taxista —dijo ella, y a continuación le dijo que tomara el Boulevard de Clichy y al llegar a la Rue Caulaincourt doblara a la derecha y después por la Rue Duhesme, todo sin dejar de subir y bajar la mano sobre su pierna.

Andrés sentía la boca reseca. "Tomé mucho de ese mal *whisky*", se dijo. Él no pudo o no quiso, evitar seguirle el juego, la tomó en sus brazos y la besó, sintiendo sus pechos. Le empezó a soltar los botones y sin importarle que iban en el asiento trasero de un taxi, le tomó los pechos con las dos manos.

—Deténgase, es aquí —dijo ella después de un rato, soltando las piernas de Andrés y abotonándose la camisa. El taxista estacionó rápidamente al lado de la acera frente a un viejo edificio con un pequeño jardín enfrente y una escalera baja de hierro, ella se preparó para salir del auto.

—No puedo —dijo él sin moverse del asiento, como volviendo de un sueño—. Me voy.

Realmente era un tipo extraño, primero la quería convencer de cambiar de vida y ahora, después de haberse aferrado a sus pechos, se iba. Le dio un beso de despedida y se dirigió al edificio.

El taxi empezó a rodar. Andrés se quedó recostado en el asiento trasero pensando si no estaba cometiendo un gran error. De pronto, pidió al taxista detenerse, le dio un billete diciéndole que guardara el cambio, y corrió a la puerta que ya se cerraba.

Despertó poco antes del amanecer, la cabeza le daba vueltas y sentía náuseas. En el primer instante no supo bien dónde se encontraba. "Ese *whisky* fue lo peor de anoche", pensó intentando poner su cabeza en orden y reconocer la habitación.

—Griselda —dijo.

Y en respuesta a su nombre, entró ella sonriente sosteniendo una taza de café y un plato con dos *croissants*. No traía ropa. Puso el plato y la taza en la mesita al lado de la cama, y se metió bajo las sábanas a su lado.

La atrajo hacia sí y los recuerdos de la noche anterior volvieron a su cuerpo, enredado entre sus piernas. Había logrado ingresar al edificio cuando la puerta se cerraba y vio a Griselda entrar en un departamento del segundo piso. Ella se sorprendió al verle en la puerta y sin más palabras se abrazaron en el minúsculo salón que servía de comedor-sala-cocina. Y se sumergieron en el disfrute sin pensar en nada más. Ella acarició y besó cada parte de su piel y él respondió a la seducción, tomándola fuertemente sintiendo cómo se sometía entre sus piernas.

Al verla ahora, sintió que se reproducían los feroces deseos de la noche anterior por esa pequeña muchacha, la atrajo y la volteó para repetir una vez más las rutinas de placer que no creía, o no recordaba, haber sentido con otra. Pensó en Francisca y la olvidó rápidamente. Se dispuso a disfrutar paso a paso lo que estaba viviendo y penetró a Griselda con fuerza, una y otra vez, tomándole con una mano del cabello y con la otra, le apretaba uno de sus magníficos pechos. Ella respondía bien a su afán de dominar en la cama, y recibir pasión a través del dolor.

Veinte minutos después se levantó, se duchó y vistió. Tomó un trago del café cargado ya frío, y dio un mordisco al *croissant* y a uno de sus pechos que lucía dos rastros de color morado. Le dio un beso en el pubis, se despidió, y bajó a esperar el taxi que minutos antes había pedido.

Al llegar al hotel aún no habían abierto el restaurante. Se sentó a esperar en uno de los solitarios salones, leyendo los diarios. Se sintió agotado y confundido. Los viajes, el *whisky* barato, el desvelo. Estaba mareado. Pero el recuerdo de ella, al inicio triste y arrogante, insegura y soberbia, para después transformarse en una sublime máquina de placer, siguiéndole sus movimientos de fuerza y sumisión, lo había dejado más que satisfecho, con una sonrisa en sus labios. Ahora solo quería tomarse otro café cargado, tal vez una tostada, ir a su habitación, preparar la maleta y volver a México.

Continuó viéndola en sus siguientes viajes a París. Ella seguía en el club, él llegaba, veía el espectáculo, la esperaba y repetían una vez más esa primera noche juntos que siempre recordaban. Hasta que el tiempo y sus vidas les distanciaron.

Griselda era de un poblado pobre del sur de Venezuela. Su infancia había sido un moverse de aquí-allá entre la casa de la abuela y de la madre.

A los diez años, una hermana de la madre que vivía en Caracas, pidió criarla como propia y hacerla una muchacha de bien. Griselda ni siquiera tuvo que empacar, no tenía nada de valor. Subió al autobús de la mano de esa tía recién conocida y se despidió de quienes, hasta ese momento, habían sido su familia. Durante todo el viaje miró por la ventana las altas montañas, los aguiluchos haciendo todo tipo de volteretas y las hormigas paseando entre el vidrio y los bordes de la ventana del bus. Después de dos horas de viaje, se durmió.

—¡Llegamos! —gritó el conductor, al tiempo que su tía la zarandeaba.

—Ya niña, ahí está tu tío. —Ella se incorporó y tímidamente se asomó a la ventana. Un tipo alto, moreno y con un bigote fino bien recortado al estilo de Pedro Infante, la observaba en medio de un mar de gentes que gritaban y se movían por todos lados.

—¡Dale la mano a tu tío! ¡Cuidado te pierdes! —casi le increpó la tía y ella tomó la mano extendida. Fina, sudada, suave. Siguiendo la línea del brazo se encontró con un rostro de bigote sonriente. Ella no devolvió la sonrisa, se sentía asustada y sola. Caminaron en una acera llena de gente que caminaban en ambos sentidos, bajaron la escalera hacia la primera estación del Metro que encontraron, y empujados por la misma gente, entraron en uno de los carromatos. Después de un viaje de casi media hora bajaron, salieron a la calle y caminaron otra vez hasta la siguiente estación de autobuses para llegar al barrio donde vivían. Griselda se sentía aturdida por los gritos, los cláxones y las decenas de autobuses que siempre parecían estar tirando humo.

Llegaron a una humilde casa del barrio Bello Amanecer, de calles sin pavimentar y donde la gente parecía vivir afuera. Entraron y la recibió una pared con un póster desteñido de Cantinflas, un calendario de cuatro años atrás y la foto de un sacerdote que ella no supo identificar. Una mesa, cuatro sillas de plástico y un sillón rasgado, formaban el mobiliario de la casa. Dos espacios, uno con puerta y otro con cortina, mostraban el ingreso a las habitaciones. La tía la llevó donde había una cama de madera con un colchón sin cubierta, una mesita y un tubo entre dos tablones para colgar ropa. Griselda se sentó en la pequeña cama, quieta, mirando la cortina de plástico que hacía las veces de puerta, yendo y viniendo, como danzando frente a ella.

Cinco años fueron suficientes en esa casa. Un año después de llegar ya tenía al joven Pedro Infante, con voz de locutor de radio, encima de ella a toda hora del día. De solicitudes directas a convertirla en su mujer, no fueron más que dos pasos. Calló por miedo a ser expulsada, pues ni siquiera sabía cómo regresar al pueblo. De su madre y su abuela no había vuelto a saber nada.

A los quince años huyó con una amiga de la escuela, y se colocaron de meseras en un mercado, viviendo con otras cinco chicas en un cuarto. Ya con dieciocho años pasó a limpiar las oficinas de la Policía de Sabanagrande y el jefe le propuso entrar al regimiento, necesitaban gente joven y nueva. Le ofrecieron apoyarla a terminar el colegio y hacer una carrera técnica y Griselda no lo pensó dos veces. Destacó por su alta disponibilidad, inteligencia y capacidad de enfrentar el riesgo. Era pequeña, pero con gran fuerza. Cuatro años después ya andaba patrullando las calles, acompañada de otro policía. Se mantuvo ahí hasta ser herida en un asalto y como consecuencia fue asignada a trabajos de oficina. Un año después pidió su baja.

Una amiga la invitó a concursar para bailar en un salón de fiestas. Siempre le había gustado la música, y en los eventos de la Policía era conocida por sus atrevidos movimientos. Rápidamente destacó en el ámbito de los centros nocturnos, y siguió ahí hasta conocer a Saúl, un empresario de entretenimiento, quien la convirtió en su amante y cambió su destino. La invitó a ella y a otras dos jóvenes a ir con él a París. Era como un sueño, y ni siquiera reaccionó cuando la amiga la alertó de lo extraño de su invitación, pues él se haría cargo de todos los gastos. Ella, que nunca había salido de la capital, ahora iría a París, y nadie la iba a detener.

Volaron toda la noche y llegaron a París muy temprano. Se hospedaron en un alojamiento lejos del centro, y estuvieron tres días conociendo la ciudad. La felicidad de Griselda era enorme.

El siguiente sábado, Saúl le pidió su ayuda, pues una de las bailarinas del salón en el Barrio Latino les había fallado, y ella la podía cubrir. Griselda aceptó y esa misma noche tuvo que atender íntimamente a algunos de los clientes. No le importó, igual estaba muy agradecida con Saúl, disfrutaba su vida y su cuerpo, y siguió bailando y atendiendo clientes, hasta el día que Andrés y el amigo se atravesaron en su camino.

Volvió al presente, a su oficina, a la Griselda actual, tan distinta de como la recordaba, ahora estaba sentada enfrente y le sonreía. Siguieron por media hora recordando los momentos juntos, desde la salida del club hasta su último encuentro. Ella le contó cómo había iniciado su carrera en el negocio de la moda, primero produciendo ropa para las bailarinas del club, y después para damas de compañía, y de la manera en que todo esto le abrió la oportunidad de mostrar sus diseños —increíblemente coloridos y novedosos— en un desfile de modas en Milán, y finalmente el salto a las tiendas. Ella misma se asombraba de su carrera.

—De vestir putas, pasé a vestir señoras, ¿lo puedes creer? —terminó diciendo con una sonrisa resplandeciente.

Siguieron riéndose con la historia de la forma en la que se conocieron. Griselda estaba muy cambiada, elegante, delgada, vestía bien. Posiblemente no la hubiera reconocido si la encontraba en la calle. Lástima que llegaba en tan mal momento, si no, podría comer con ella, y quién sabe si hasta recuperar el tiempo perdido, pero ya entraba Rosa para recordarle de su siguiente reunión en el piso de arriba. Andrés se levantó.

—¿Me disculpas?, debo retirarme. ¿Puedes dejarme tu número de teléfono de Milán? Cuando esté por allá te podría llamar, tal vez nos encontremos para tomar algo y recordar viejos tiempos.

—Por supuesto, me encantaría —respondió, y le entregó en seguida una bonita tarjeta de color lila. Arriba, en letras negras, decía en alemán y castellano: Griselda, diseñadora de modas. Las letras parecían salir volando de un pequeño listón morado con giros alrededor. Andrés la miró intentando encontrar una respuesta. La vida era extraña.

Griselda se levantó, le dio un abrazo lleno de recuerdos y salió de la oficina. Viéndola marchar pensó que siempre habría tiempo más adelante.

14. EL FRÍO DE LAS PALABRAS

El día que Francisca descubrió el mensaje en la computadora, debía encarar el juicio de Celina. Solo la fuerza de su empeño y el compromiso de defenderla, lograron mantenerla en pie y continuar como si la vida transcurriera igual. Estuvo todo el día deseando que terminara pronto para refugiarse en su dolor.

De regreso en su casa, en el estudio, rodeada de fotos y libros, que ahora parecían bailar frente a ella, sintió despertar en medio de una pesadilla. Ya no era con la madre y sus memorias de antes de nacer. Esta era la vida real.

Se dejó caer en el sillón verde y con sus manos envolvió su cara.

—Estaba segura que algo pasaba … lo sentía. —Se resbaló despacio al suelo, y no pudo evitar un ronco sollozo.

Las palabras danzaban de nuevo frente a sus ojos:

"…Todo el fin de semana … tu piel en mis manos … estás en mis pensamientos…"

—¿Por qué? ¿Desde cuándo estaban juntos? —Las preguntas se le atoraban, y los sollozos no paraban en su garganta. Se levantó y empezó a caminar de un extremo al otro del estudio. Los colores se mezclaban y todo se le oscurecía. El tiempo pasaba lentamente esperando la llegada de Andrés.

Ahora todos sus presentimientos se hacían reales. Cada comentario, cada palabra de admiración, todo tomaba forma. Y era desde París. Recordaba nítidamente aquella dichosa escena a la salida del café, las eternas reuniones en la oficina. No podía sacarse de su cabeza las miradas, los posibles besos y los abrazos cómplices. Veía su transformación en un ser en el que ya no confiaría, que la había traicionado. La supuesta lealtad que marcaba su relación había desaparecido. Francisca no se cansaba de releer el mensaje a Gabriela.

> *"¿Por qué me ha afectado todo esto? ¿Por qué ahora? El amor no es una información ni una base de datos fría. Es una sensación química que hace doler los cuerpos. El amor está lleno de arrepentimientos y promesas incumplidas."*

La imagen de Andrés estaba oscurecida o borrada por lo pasado. Era como si nunca hubiese sido nada más que la figura hoy develada. "Es tan difícil olvidar o peor aún, perdonar", era él sin conciencia de lo que hacía y le revolvía todo. Tal vez no podría explicar por qué no había sido capaz de parar, de ver, de enterarse.

Andrés regresó antes del anochecer y la encontró hundida en el sillón. Supo que algo andaba mal. Francisca explotó. Le extendió la foto con el mensaje.

Él tuvo que reconocer lo que había pasado. En realidad, sintió alivio. —Esto no debió pasar así —le dijo aturdido, dejándose caer en el sillón—, pero no es como te lo estás imaginando.

—¿Y qué crees tú que me estoy imaginando?

Lo miraba sabiendo que mentía y seguía preguntándose quién era ese hombre enfrente suyo. Andrés daba más y más explicaciones. —Es un juego. —Para ella las cosas estaban claras. ¿Hasta dónde había sido responsable del dolor que estaba sintiendo?

Lo peor era que no se reconocía, estaba actuando como mujer despechada.

> "Pero, ¿es que algún día fui diferente?"

Antes del regreso de Andrés se había bañado, y desnuda frente al espejo se analizó crudamente. —Esa soy yo, y no me gusta lo que estoy viendo.

La imagen reflejada en el espejo la mostraba llena de ira y creía descubrir en ella el rostro de la otra. Le aterraba verse en esa superposición. Eran tan parecidas, tan ambiciosas, tan seguras. Ni siquiera podía nombrarla. No tenía capacidad ni razón suficiente para percatarse de que cada una de las letras leídas estaban ahí, "cada segundo del día fue para pensarte", y no habían sido dirigidas a ella. Gritó con desesperación, sentía como si las letras la estuvieran viendo fijamente. No podía ni quería asimilar que esa era la vida real.

Ahora él seguía mirándola con expresión anodina. Lejos iba quedando el hombre del que se había enamorado. Sus ojos tristes fijos buscaban respuestas.

> *"¿Cómo encontrar respuestas cuando todo lo que conocía como vida ya no existía? ¿Qué respuestas puedo obtener cuando se han acabado todas las preguntas?"*

Las lágrimas bajaban imparables por su rostro. —Si no lloras todo, el mal se queda adentro —decía siempre Itzel.

Andrés se preguntaba cuáles serían las consecuencias si hubiera sido ella quien hubiese hecho tal acto de traición. —Nunca se lo perdonaría.

—¿Sabes?, soy tuyo —le dijo siempre él y se lo repetía ahora— en las cosas grandes, pero también en las pequeñas, como tú quieres. Confía en mí, voy a recuperar tu confianza.

—Ya no —rotunda contestó, y encontraba sus palabras tan vacías. Al fin y al cabo, todas las parejas en algún momento sufren apatía. —Pero la mía no, yo no quería eso.

—Si él faltara, me muero —decían sus amigas cuando hablaban de sus esposos. Tanto se aferraban a los hombres, que al final no sabían dónde comenzaba una y dónde terminaba el otro.

> *"Siempre les manifesté mi solidaridad, pero ahora era yo la que padecía de ese mal".*

El descubrimiento de la verdad le había recordado a Francisca un sufrimiento antiguo en el cuerpo. Su ansiedad por saberlo y después el daño por la certeza, hicieron que el dolor se entronizara en ella. La frustración, la furia, eran sentimientos que ahora la hacían sentir viva. Ya no era el amor, la excitación o el placer. Cambiadas las prioridades. Las emociones eran desmenuzadas y ya no guardaban relación con su vida. Los rápidos latidos y la piel erizada de cuando lo recibía en su cuerpo, iban siendo suplantados por las conjeturas que la minaban. Parada frente al espejo, miraba su figura delgada, su rostro demacrado y recordaba las palabras de Itzel: —Mi niña, Andrés te ama.

Ella lo sabía. El amor no estaba en cuestión.

Desde su regreso a México, Francisca había sentido cómo la relación de trabajo y complicidad entre Andrés y Gabriela se iba consolidando y una permanente cercanía entre ellos estaba haciendo mella en sus emociones.

No sabía si le molestaban sus salidas tempranas y las llegadas tarde, o si eran solo las mentiras usadas para lo que él llamaba su necesidad de libertad. La situación parecía insostenible. Todo se sumaba al tremendo cansancio emocional por los difíciles casos que llevaba, por cada sesión y cada evento semanal para discutir la nueva legislación en el Senado. Era un cúmulo de emociones.

A medida que pasaban las horas, el ambiente iba poniéndose denso y lúgubre. Afuera los nubarrones anunciaban el extraño verano de su ciudad, cuando los aguaceros ahogan las calles y el tráfico se convierte en el terror de los conductores. Francisca amaba ver la lluvia, las calles lavadas de su barrio y las hordas de pájaros sobrevolar los árboles. Adoraba esta época del año, tal vez era de las pocas personas que lo hacía. Pero hoy era distinto, se sentía sombría, como si esos nubarrones se hubieran detenido sobre su cabeza.

Y los días siguientes la continuaron desgastando. Adquirió la rutina de salir a caminar por las viejas calles del barrio, contar las piedras levantadas en la banqueta cuando las raíces de los vetustos fresnos buscaban su libertad. Andar por las mismas rutas donde antes lo hacía con Andrés, recordar los tiempos cuando eran un par de jóvenes enamorados y salían a moverse entre las otras parejas en la plaza o a la laguna, antes que la modernidad secara sus aguas. Se sentaba a observar sus movimientos y analizar su comportamiento.

Se quedaba horas observando las casonas del barrio. Las largas cadenas colgadas de los techos, en días de lluvia se podían ver grandes gotas bajar —¿o bailar? — en sus nudos entrelazados desde hacía años. Miraba hipnotizada ese baile del agua turbia, que pronto se volvía rojiza. Sentía como si cada gota era un afilado cuchillo que se clavaba en su piel una y otra vez. Y los ruidos, era lo peor, un horrendo sonido traspasaba sus oídos.

Por la noche volvía a la habitación de los dos. Él siempre se dormía primero, y sus suaves ronquidos le daban los sonidos necesarios para arroparse y enfrentar la dulce muerte. Cerca de él los miedos desaparecían, creía que todo se podía resolver.

Cuando despertaba, Andrés ya había salido. Francisca se enfrentaba a su soledad.

15. BLONDIE

En la locura de la empresa, un fin de mes en París, Andrés terminó de firmar los últimos documentos, salió de su oficina y se percató de que se había quedado solo en el piso. Colocó las carpetas sobre el escritorio de Rosa y bajó al gran salón de la recepción. Abrió la puerta de la entrada cuando ya venía el guardia a ayudarle y sintió una corriente de aire frío. La cerró y encaminó sus pasos al estacionamiento, hasta el sitio en donde había dejado el auto esa mañana. De repente, escuchó un claxon insistente, como si le llamaran. Buscó de dónde venía el sonido y observó un taxi amarillo estacionando junto a la banqueta. Se abrió la puerta y salió una mujer alta con abrigo morado, en una mano un paraguas y en la otra un bolso negro. Pagó al taxista y cerró la puerta, despidiéndose con un suave *"merci"*, y empezó a caminar en su dirección.

—¿Andrés?

—Sí.

Ella se detuvo frente a él, que la miraba sorprendido.

—¿Jimena?

Con una leve sonrisa, ella se acercó y le dio un suave beso en los labios. Él se separó y sonriendo también, se limpió de la boca los restos de pintura.

—¿Cómo estás? Disculpa que me aparezca así.

Blondie. Le llegó todo en oleadas. Pero no parecía ser ella. Estaba muy distinta. Blondie fue el nombre que le puso cuando aún no era tan rubia como ahora y era la asistente de un empresario francés con quien había tenido relaciones de negocio muchos años antes de llegar a vivir a París. Blondie. La chica francesa ahora aparecía cambiada. Si supiera cuántas veces la tuvo en mente.

—Blondie —dijo sonriendo de nuevo y se acercó otra vez ahora para darle un abrazo, pensando en lo que representaba en sus memorias. Recordó esas noches. Ella le correspondió apretándose más a su cuerpo.

—Tienes que venir a cenar conmigo.

—Claro —dijo él, después de algunos segundos de duda.

Las mujeres jóvenes eran su debilidad, solo encuentros casuales. Sin residuos. La fidelidad era una exigencia absurda. "Estamos en el mundo, nos vemos, nos encontramos, nos atraen personas distintas, pero esto no significa poner en riesgo o perder la relación." No entendía por qué otras personas no lo veían tan claro como él.

Ahora tenía a Blondie de nuevo a su lado y la verdad es que estaba disfrutando de la situación. Andrés le abrió la puerta del auto, y ella le agradeció el gesto con una sonrisa. Él dio la vuelta y se subió también.

—¿Dónde quieres ir? —Le dijo sonriendo.

—A Montmartre —dijo ella—, conozco un barcito *très* acogedor donde estaremos tranquilos.

Llegaron al sitio indicado por ella, un *valet parking* tomó el auto y entraron al bar. Se sentaron al fondo del local y un mesero les ofreció algo de tomar. Sonaban las notas de *Sous les ponts de París* que un pequeño grupo tocaba en ese momento, ambos disfrutaban del *jazz* francés, y se quedaron un rato en silencio escuchándolos. Consultaron los vinos de la carta y pidieron uno blanco, joven, del Valle del Loira, y se pusieron al día con sus vidas.

—Me casé con Efraín —le soltó rápidamente.

—¿Efraín? Pero si es como treinta años mayor que tú.

—Bueno, es casi de tu misma edad, y tú no quisiste casarte conmigo —contestó riendo.

Blondie era buena esposa para una representación de pareja de moda. Y era muy joven aún. Era la del cálculo de 25/50 en el juego de las edades que él aplicaba a sus conquistas. Ahora él tenía cincuenta y cuatro, y ella estaría en sus treinta. Se encontraban siempre que los viajes de Andrés lo permitían. El hotel donde se despidieron la última vez era hermoso, ubicado en un bosque, entre árboles de ramas copiosas, aún en otoño. Era muy discreto. Siempre escogía una habitación al fondo, lejos del bullicio de la entrada, salones y piscina. Era cierto que había visto mejores glorias, pero aún mantenía su belleza original. Quedaba muy cerca del aeropuerto, lo cual facilitaba encuentros y movimientos.

En uno de esos viajes, cuando se canceló su vuelo, regresó al hotel y la llamó, diez minutos después ella estaba ahí, sonriendo, dispuesta a su llamado. Llevaba un vestidito de verano, de flores amarillas, anteojos de sol grandes, y unas sandalias bajas blancas. Amaba sus pies, finos, siempre arreglados, siempre listos para ser parte del juego del placer. Recordó cómo, al entrar en la habitación, le bajó el cierre del vestido que cayó como pluma al suelo. No llevaba sostén, volteó, y sus pequeños senos quedaron expuestos frente a él, los tomó en cada mano, apretándolos fuertemente y después besándolos. Hicieron el amor ahí mismo, de pie junto a la puerta. Ella lista a seguir el juego de ese placer doloroso que tanto disfrutaban juntos. Golpes suaves, pieles oprimidas, labios mordidos, todo era posible en el placer. Luego tomaron un largo baño de tina acariciándose la piel, una y otra vez, con sales y aceites. Blondie era una experta gimnasta, y ponía al servicio de la pasión sus habilidades, sorprendiéndolo con cada movimiento. Al día siguiente desayunaron al lado de la ventana, desnudos, tocándose debajo de la mesa. Pasaron la mañana en la habitación hasta que llegó la hora del vuelo y se despidieron.

Esta noche no sería distinto. Después de una botella de vino, pocos bocadillos y muchas alusiones a las semanas compartidas, se pusieron de acuerdo con la mirada. Andrés sintió alivio que Francisca estuviera de viaje en México.

Salieron a tomar el auto en dirección al hotel de ella. Entraron presurosos. Subieron al elevador y, ahí mismo Andrés tocó la piel deseada. Sintió cómo volvían los recuerdos de la pasión y la tomó en sus brazos, subiéndole el vestido para buscar su sexo. Nuevamente lo sorprendió. No llevaba ropa interior, así que su mano fácilmente se deslizó entre sus piernas. Salieron con prisa del ascensor, entraron a la habitación y, sin quitarle la ropa, la penetró con fuerza, como con rabia, sacudiendo su cuerpo y todas las memorias. Eran dos amigos íntimos repasando momentos de su vida. Ningún resquicio de duda. Ningún malentendido, un placer vehemente, compartido, una conversación sin importancia y un cálido adiós.

Al día siguiente, nuevas despedidas, abrazos y piel, caricias en los moretones del recuerdo y besos, frutas, café fuerte y dos tostadas. La ropa en el suelo, y los amantes desnudos nuevamente al lado de la ventana. Andrés se guardó el recuerdo de su piel en la memoria, la besó y salió rápido del hotel y de su vida. Sentía cierta culpabilidad por lo sucedido, y le extrañaba porque nunca le había pasado.

—¿Me estaré poniendo viejo? —se dijo, aguardando el auto. Se dirigió a su oficina donde tenía ropa para cambiarse. Le esperaba una larga semana, y al final del mes debían ir a Italia a reuniones con nuevos clientes.

—Rosa, por favor llame a Gabriela, que venga a mi despacho en quince minutos —pidió. Era el tiempo justo para tomarse un baño y cambiarse de ropa. Tampoco necesitaba de sus preguntas cuando lo viera con la misma ropa del día anterior. Se sentía un poco cansado por la noche de desvelo, pero bien que la valía. Se descubrió recordando la piel de Blondie. Pero era el momento de dejar los recuerdos y ponerse a trabajar.

16. DE LEALTADES

Después de casi ocho años en París, era el momento de regresar a México. El arreglo que al inicio parecía funcionarle a Francisca con sus socias, empezó a mostrar huellas de erosión. El equipo de abogadas no se daba abasto, los casos judiciales pendientes se acumulaban, y el Centro colapsaba con la cantidad de denuncias recibidas. Los viajes la agotaban. Tampoco el arreglo con Andrés parecía funcionar mejor.

Francisca había empezado mucho antes a organizar su regreso definitivo. No quería seguir en un lugar que cada día le parecía más vacío; la ciudad ya no tenía el atractivo de antes y el trabajo en la organización se había hecho rutinario, añoraba las exigencias y los retos de los casos en México. Su ciclo en Europa estaba concluyendo.

Andrés aprovechaba sus viajes para profundizar su relación con Gabriela, y como bien sospechaba Francisca, la cercanía entre ellos cada vez era mayor. Todos estaban felices, menos ella. Él había perdido la noción de cómo su vida estaba cambiando. La cuerda se había tensado.

En uno de esos frecuentes viajes al sur de Francia, de regreso al hotel después de cenar, uno de los botones se le acercó llevando un sobre en la mano.

—Señor Ibáñez —le llamó el joven.

Al oír su nombre, se volteó y pidió a Gabriela que lo esperara.

Ella se detuvo, esperando que él tomara el papel de manos del chico. Al volver mostró su rostro cansado, y juntos caminaron hacia el ascensor. Presionó el botón del piso quince, y ella el del cuarto piso. Subieron en silencio. Al parar el elevador, Andrés se percató de que iba a salir del ascensor, y puso la mano en la puerta para impedirlo. Era la señal del juego que ambos repetían desde hacía tiempo.

—Déjame —dijo ella, segura.

—Te espero arriba —dijo con voz imperiosa, quitando el brazo que le impedía el paso. Ella levantó la mano como despidiéndose y la puerta se cerró. Andrés llegó a su piso, salió del elevador y abrió la puerta. Al entrar a la habitación, tiró el maletín y los documentos sobre la cama, de forma desordenada. Se sentó ahí mismo, abrió el sobre y leyó en voz alta:

—Te llamé, necesitaba oírte, parece que no tienes el celular contigo. Te amo. Francisca.

Suspiró, releyó el mensaje en silencio y se quedó sentado. El celular estaba sobre la mesita de noche, lo había olvidado o era otro juego más del destino. Tocó el botón de encendido y le aparecieron tres llamadas perdidas, y nuevamente su nombre: Francisca. Vio los mensajes de cada media hora: "¿dónde estás?", "contéstame por favor", "buenas noches, te dejé mensaje en la recepción del hotel". No siguió leyendo y lo tiró sobre la cama.

Se quitó el pantalón y lo colgó en el respaldo de una silla. La camisa entreabierta mostraba su pecho de escaso vello y lleno de canas. Era lo que menos le gustaba de la vejez. ¡Canas en el pecho! Todo lo demás era soportable: las canas a ambos lados de las sienes se veían elegantes. Incluso las del bajo vientre no le importaban mucho. Su espeso cabello, sin sombras de caída, había sido siempre su orgullo. Pero no las canas del pecho. Se rascó suavemente, mirándolas resignado.

Sonaron a la puerta con dos toques rápidos y se levantó a abrir. Decepcionado, vio a la camarera que traía toallas limpias. Las tomó, dio las gracias y las tiró sobre la misma silla donde descansaba el pantalón. Iba de regreso a sentarse en la cama, cuando nuevamente sonó la puerta. Esta vez eran toques fuertes, enérgicos, como con prisa. Abrió la puerta y la sonrisa regresó a su rostro.

Gabriela traía el pelo suelto y despeinado, la hacía ver más joven. Se tomaba las solapas de la chaqueta, como queriendo evitar lo que sabía sucedería. Se quitó de la puerta para darle pase, ella entró y recorrió la habitación con la mirada. Le vio sin pantalones, admiró sus piernas y le miró a la cara.

—No quiero seguir en esto —dijo a quemarropa.

Él, sin decir nada, la abrazó por detrás, intentando que soltara la chaqueta. Llevaba una blusa blanca con pequeños puntos negros y una falda corta que le hizo malas pasadas durante la cena, cosa que él disfrutó. Ella se volteó y quedaron frente a frente. Él le acarició la cara y la tomó del cabello. Ella bajó la mirada.

—Siéntate —casi le ordenó, dirigiéndose al bar a servir un *whisky*, le agregó dos trozos de hielo, y regresó con ella, que no se había movido de la cama.

—Toma —le dijo —, te caerá bien.

—Sabes que no me gusta —pero igual tomó el vaso, mientras volvía a admirar sus piernas sólidas mantenidas por sus largos viajes en bicicleta.

Andrés se sentó a su lado, empujándole suavemente el vaso hacia la boca. —Te hará bien.

Gabriela tomó un sorbo arrugando la cara y se lo devolvió. Él bebió del mismo sitio donde ella había acercado sus labios. Dejó el vaso en la mesita y la abrazó, retirando el cabello de su rostro. Se acercó aún más y le dio un apasionado beso.

La abrazó aún más fuerte, metiendo una mano entre la blusa, soltando uno a uno los botones, para acariciar sus pechos y deslizar la otra mano hacia sus piernas. Ella hizo el intento de retirarla, al mismo tiempo casi rogando que siguiera. —Te quiero, te deseo —dijo él acariciándola despacio— es una locura, pero no quiero parar. —Andrés tomó su mano y la dirigió a su sexo, empujándola fuertemente hacia abajo. Ella sabía qué hacer para transformarlo. En instantes ya estaban ambos recorriendo sus cuerpos, vivían su momento y todo quedaba olvidado. Gabriela se apretó en la concavidad del pecho canoso, y él sintió sus senos duros respondiendo al abrazo.

Cuando ambos cayeron desnudos enredados sobre la cama, el teléfono de Andrés languidecía entre las sábanas debajo de sus cuerpos. De repente se encendió la luz de la pantalla:

"Esta distancia nos está haciendo mal", decía el último mensaje.

17. EL JUEGO DE LAS EDADES

—No es nada —se dijo muchas veces mirando a Gabriela en su oficina tras el regreso a México. Pero, ¿por qué le atraía tanto? No era ella, sino la novedad, la juventud, el ego de sentirse admirado por alguien tan joven. ¿Se iba desplazando por esa cuesta de los hombres de su edad? ¿Se dejaba llevar por el peso de los años? Parecía que las canas en el pecho, y las pérdidas del cabello le estaban pasando la factura.

—Mi piel ha cambiado tanto —se decía al pasar la mano en el brazo marcado por lunares y manchas. Junto a los suaves cobrizos y rosas de las pieles jóvenes, se veía a si mismo aún más deprimente. Cuando yacía junto a ellas, su piel parecía transparente, la de ellas brillaba.

—Es el color de la vejez, la textura de la piel, los años. —Era esa misma mano casi transparente que pasaba sobre las pieles jóvenes, y especulaba sobre las razones de por qué estaban con él. Se imaginaba distintas versiones de su atractivo. Pero a veces sentía el agotamiento. Era muy activo y vivo físicamente, pero consumido en sus emociones.

Lo estimulaba la idea de ganar en ese juego de afectos y duras pasiones. Cada cuerpo se agregaba a su arrogancia, a su ego, y llamaba a su sensualidad. Y le motivaba la conquista. Pero no las que eran producto de la debilidad de un momento, una ausencia, o una relación terminada. Para él se basaba en administrar una dosis de frustración, de poner a su disposición momentos de confidencias, de complicidades, en los cuales él, como viejo y astuto jugador, sabía identificar y usar para su beneficio, una palabra apropiada, o rozar suavemente unas manos o unas rodillas. Esos eran los momentos para estar cerca, hacerse notar, y ahí surgían esas otras, las movidas por la fuerza y el dolor, la que le hacía remover cada fibra del cuerpo, el golpe sensual, el mordisco erótico, las manos como tenazas en los cuellos y el premio final, el cuerpo entregado, rendido.

Le gustaba el juego de las edades y lo registraba en el mismo cuadernillo donde llevaba las incidencias de los viajes de negocios. Como si fuera parte del mismo afán de conquista, de finales alcanzados. Todo lo que escondiera el cenit de su vida. Ahí anotaba los nombres de sus jóvenes conquistas. En la primera columna escribía sus iniciales, al lado su fecha de nacimiento, y en la última columna, su edad cuando las conquistó. Comparaba y hacía círculos, observando cómo los números se mezclaban.

—Cuando tenía cincuenta y dos, estuve con MS de veinticinco. Cuando tenía cincuenta y tres, estuve con OG de treinta y cinco. Cuando tenía treinta y dos, estuve con ZG de veintitrés, aunque esa no fue tan grave —leyó. Ahora pensaba en Gabriela que apenas se acercaba a los treinta. No estaría con ella al llegar a los setenta y cinco. Ni siquiera esperaba llegar a esa edad. Pronto no podría jugar el juego de las edades.

Se preguntaba por qué después de trascender la barrera de los no, las jóvenes se volvían tan extremadamente dóciles. ¿Por qué después parecía ir todo tan bien? Detrás de la barrera del miedo parecían encontrar la pasión. De golpe desaparecían las inhibiciones y se desbordaban, olvidando las precauciones. Era como si quisieran pasar rápidamente a ese nuevo rol de amantes temporales. La etapa del coqueteo quedaba atrás muy rápida. A él no le molestaba en absoluto, pero sí tenía curiosidad por saber lo que pasaba por sus cabezas.

Intentaba también recordar sus olores y las comparaba con los vinos. Algunas eran como vinos jóvenes, tiernos, otras eran florales con aroma a madera, algunas otras de olores más firmes, generosas, y así las iba enumerando en otras listas con flores, cítricos, árboles. A cada una le regalaba un perfume. La misma fragancia que usaba Francisca. Era como si quisiera retener su aroma en cada una de esas pieles jóvenes.

"¿Haría lo mismo Francisca?, ¿Jugaría ella con sus recuerdos como lo hacía él? No sería capaz. ¿Cuántos nombres pondría ella en su lista?" La duda lo alertó.

Veía su vida cercana a la muerte. Después de trascender los sesenta, cualquier cosa podría pasar. Por eso tal vez la juventud y energía de Gabriela le compensaban. Las aprehensiones de un hombre caminando rápidamente a la tristeza de la vejez desaparecían con un abrazo de ella. Todo quedaba olvidado al sentir el olor de sus largos cabellos, la piel suave de sus abrazos y el corazón latiendo aceleradamente al pensar que alguien podría descubrirlos.

Cada cosa contribuía a aumentar el placer y a olvidar. Con ella sentía recuperar parte de lo que el tiempo le estaba arrebatando, se demostraba que aún podía atraer. Con ella siempre se sentía en estado de excitación, para amarla en el sillón de la oficina o para enfrentar la negociación de un difícil contrato.

En París hacían el amor donde podían, y después conversaban. Eso era lo que la hacía tan diferente de las otras, era casi tan parecido con Francisca, pero sin el peso del después, sin dar explicaciones, solo poder continuar en esa búsqueda constante de placer. Creía saber todo de ella: la admiración por la madre, la decepción del padre, la necesidad de ayudar a los hermanos, su deseo de crecer y subir en la empresa, y hasta su sueño de regresar algún día a México. Él le hablaba de los hijos, de su amor por Francisca y la manera de llevar su relación.

Necesitaba saber si eso era la felicidad. Las emociones las confundía con los afectos, una mezcla de estados de ánimo y sensaciones.

18. *ÂME OBSCURE*

Los días pasaban y Francisca se sentía sola y llena de dolor.

Dijo bajito —*âme obscure*— ese sentimiento que aparece en la vida. Almas oscuras son los hombres sometiendo a tratos terribles a esas mujeres, casi niñas, sin capacidad para defenderse. Pero ¿cómo les ayudaría ahora a las mujeres del centro si su propia vida parecía desarmarse? Debía superarlo, nada podía ser más importante que sacar a esas niñas de la pesadilla donde vivían.

Âme obscure ... Tanto tiempo viviendo en una mentira. No parecía ser ella quien leía los mensajes, marcaba el teléfono, espiaba sus pasos, olía sus camisas o registraba su cuello para identificar un vestigio de labial. No se reconocía. Se sentía arrastrada por una fuerza absurda que la dejaba sin aliento. Por eso se comparaba con esas otras mujeres. La violencia podía venir de todos lados. Se manifestaba de maneras en que a veces era imposible defenderse.

Francisca en el sillón y él de pie, repasaban todo. Y ya no sabían qué pensar. ¿Dónde se habían equivocado? ¿Que se habían prometido? ¿Cómo se mide la disposición a recrear tus pasiones en un marco restringido de deberes y derechos?

Andrés aparecía en el espacio oculto de las virtudes y recordaba la lealtad como la mayor entre todas:

> *"¿Por qué se puede ser leal y no fiel al mismo tiempo? ¿Qué diferencia la una de la otra? Con la fidelidad se da cumplimiento a las promesas, es una acción soberana, se exige decidir hoy lo que vas a hacer después, bajo condiciones totalmente impredecibles. ¿Qué es lo que mueve la voluntad de mantenerse fiel?"*

Los conceptos les estaban ahogando. A pesar de ver sufrir a Francisca, Andrés era incapaz de tomar una decisión. Todas las tardes se encontraban y volvían a lo mismo. Discutir cada día les dejaba exhaustos. Era un tormento verse cada tarde frente a frente, como en un campo de batalla sin encontrar el camino para la reconciliación, que cada día parecía más lejana. Rabias y rencores acumulados llenaban sus espacios. Cada palabra desagradable, torpe, cuestionadora, alejaba más la posibilidad de encontrarse de nuevo en esas emociones que habían alimentado su relación por tantos años.

Andrés decidió terminar cualquier tipo de contacto con Gabriela, no había perdido los deseos de estar con ella. Pero después de ver el dolor que causaba, no era capaz. Le pidió trasladarse de oficina, la retiró de cualquier asunto donde ambos estuvieran participando. En los siguientes viajes, ella no lo acompañó y él retomó la rutina de regresar temprano a casa. Llamaba a Francisca dos o tres veces al día, pero en su interior ella estaba vacía.

—¿Qué quieres, Francisca?

Ella solo quería de vuelta su tranquilidad.

Se fueron corriendo las semanas. Gabriela continuaba en la empresa, escalando posiciones.

—Una relación demasiado predecible —les repetía Francisca a sus amigas—. La chica con el jefe, la chica asciende. —Sonaba a mujer despechada, tradicional, conservadora, absurda, pero no le importaba. Florence y Nitza la animaban a dejar ir, a olvidar. —En todas las relaciones sucede algo, olvida lo que pasó, —letanías que ella no estaba dispuesta a aceptar, ya no era la mujer segura, libre. No se reconocía.

El Centro le exigía su presencia durante más tiempo y eso llenaba sus días. Además, debía cuidar los casos en los juzgados, y la iniciativa de ley para proteger a los hijos de las mujeres agredidas estaba tomando forma. Al amparo de la ley se les ayudaría a encontrar nueva casa, buscar escuelas y acceder a un fondo de emprendedurismo y becas.

Huía del tiempo de regreso cada noche a casa, de encontrarlo y no poder compartir su día, sus momentos, sus pequeños o grandes logros. Su relación seguía una tendencia suicida y nada volvería a ser lo mismo. No volvió al pequeño patio donde cada noche se esperaban y, en otras épocas, brindaban con las copas de vino compradas en los bazares de antigüedades. El pasto invadía y marchitaba los rododendros y las flores que antes alegraban los redondeles. Los muebles de mimbre perdieron su lustre y se fueron transformando en trazos de mejores tiempos.

En sus visitas Itzel sentía cómo la pesadumbre se había tomado los espacios, y lamentaba la tristeza y la rabia que cubría el rostro de su amada Francisca. Quería hablar con ella, sacarla de ese estado, pero ya no había tiempo para compartir los avances de los centros ni los riesgos que enfrentaban. —Esa no es mi niña, ¿por qué ya no habla conmigo? —se decía, apenada, recogiendo los papeles que cada noche rompía en el estudio, o juntaba los restos de fotos cortadas y esparcidas por el suelo. Triste, las guardaba en un cajón de su habitación, esperando mejores tiempos.

19. EL COLOR DE LAS JACARANDAS

Al terminar el invierno florecieron las jacarandas y la ciudad se pintó de morado. Cada año brotaban las benditas flores y a Francisca no le daba ningún resquemor pregonar su aversión al dichoso colorcito, o a la belleza notoria de los árboles en todas las alamedas. Solo a ella parecía molestarle la fiesta de la morada mexicanidad, iniciada según la leyenda, después de la Revolución, por un jardinero japonés, que se encargó de propagarla por las principales calles de la ciudad.

¿Es que mi vida va a estar marcada por este dolor inmenso ligado al color de las jacarandas?

Pero fueron esas mismas jacarandas las que le trajeron a *Picasso*. El destino es impredecible, no se imaginaba cuánto. La mañana que lo conoció había salido temprano pisando esa ancha alfombra morada, en una de sus largas caminatas por las viejas calles del barrio, más frecuentes después del descubrimiento del mensaje. No tenía placer en compartir con Andrés. Era su manera de evadirse.

Le ayudaba tanto mirar y admirar las viejas casonas del barrio, sus enormes paredes, los maravillosos portones de hierro y madera abiertos que, como grandes bocas, dejaban salir a sus prisioneros, las hermosas rejas negras repujadas, los callejones solitarios, como en la época de la Colonia. Casi le parecía oír el resonar de los cascos de caballos sobre las piedras añosas. Y aun después de tantos años viviendo ahí, se impresionaba viendo las buganvilias de vivos colores colgando sobre los paredones o subiendo por los árboles longevos que se alzaban como buscando las nubes, las baldosas en las banquetas levantadas por las impetuosas raíces, y las ardillas danzando en una loca carrera sobre cables y muros.

Llegó a la pequeña plaza de Santa Catarina. Le gustaba siempre ir y sentarse en alguna de las banquitas que la adornaban, solo para distraerse, ver pasar a la gente, o leer un libro. A veces la sorprendía el repique de las campanas de la antigua iglesia, y observaba a las mujeres adornadas con sus rebozos o mantillas, y uno que otro señor de traje y bastón en mano, entrando o saliendo de misa. Parecían escenas del siglo pasado, como si el tiempo se hubiera detenido en la estación de Coyoacán.

Después de un rato en la plaza, movida por un impulso, se levantó y sin dudarlo, se dirigió a la vieja cafetería del Centro Cultural, justo frente a la plaza.

—Aurelia —dijo bajito al leer el rótulo a la entrada del local. Entró libro en mano y se dirigió al fondo, pidió un capuchino al único mesero y se sentó en su mesa preferida, ese rincón donde no sería interrumpida por las chicas que se movían entre las mesas invitando a toda clase de ofertas culturales: danza, cerámica, fotografía, cine y pintura. Todo lo que a ella le agradó en algún momento, y ahora solo significaba el vacío al no estar con Andrés.

—Hola, ¿tienes fuego? —la sorprendió el hombre de cuidada barba, aspecto medio *hippie*, ciertamente guapo, exudando seguridad en su camisa blanca y pantalón caqui, mocasines sin calcetines, entre despreocupado y bohemio. Ella lo miró y se asombró de su rápida evaluación. Entre enojada y sorprendida le contestó que no, moviendo la cabeza.

—No fumo.

—Podrías tener cerillos —insistió.

Molesta, le dijo que no había razón para tener cerillos si no fumaba y quiso seguir en su lectura. El tipo se sentó a su lado preguntando si se podía sentar.

—Ya estás sentado —dijo mirándolo fijamente, como invitándolo a retirarse.

Pero no pudo más que sonreír ante su desfachatez. Le gustó sentir la sonrisa en su rostro.

Después de rota la barrera inicial, rápidamente se acomodó y como si fueran viejos amigos le habló del tiempo, del jardín, conversó con el mesero, agitando el cigarrillo entre sus dedos. Media hora después, repasaba una serie de relatos del barrio, algunos de los cuales Francisca conocía por Itzel, pero no dijo nada. Mientras él seguía actualizándola, una oleada de suave calor recorría su cuerpo.

—¿Por qué nunca te había visto por aquí? —saltó él en algún momento.

—Estuve viviendo en Francia —fue su seca respuesta.

—No nací aquí, pero he vivido en el barrio desde hace mucho tiempo —siguió hablando sin importarle su seriedad—. Tengo un taller de pintura acá en el edificio. ¿No te gustaría participar?

—No, lo mío no es la pintura, mi profesión es más terrenal y bastante real —dijo, pensando en las carpetas de los casos que aguardaban por ella sobre el escritorio.

—¿Y qué lees ahora?

—Ahhh —levantó el libro—, *La conjura de los necios*, de John Kennedy Toole, muy apropiado para la ocasión —dijo sonriendo.

Él también se rió y le hizo referencia a lo bueno del libro.

Le preguntó si conocía el origen del sitio donde estaban, ella aseguró conocerlo desde hacía años, pero no sabía de sus inicios.

—Pues bien —dijo él—, aquí va tu primera clase de Historia, todo a cuenta de la casa —agregó agachándose frente a ella como en una especie de reverencia. Francisca, sin dejar de verle, le invitó a continuar.

—Esta casa fue construida en un sitio de nombre náhuatl, *Izotitlán*, significa entre izotes, una palma silvestre con la que se tejen sombreros. Después de pasar por varias manos, por ahí de los años cuarenta, la familia Armida la compró y amplió, dejándola como está. En 1985, en tiempos del presidente Miguel de la Madrid, se transformó en la Casa de Cultura Jesús Reyes Heroles, en honor al historiador y politólogo veracruzano, pero eso seguro lo sabes, y es aquí donde tuve el placer de conocerte, aunque eso aún no está en la historia.

Al terminar su perorata aún sonreía y parecía genuinamente interesada en lo que quería decirle. No pudo evitar sentir el rubor de sus mejillas, y se sorprendió al pensar que él lo había causado.

—¿Cómo sabes tanto del edificio?

—Bueno, hace nueve años tengo mi estudio aquí.

—Ah, sí, el estudio.

—Ofrezco un curso dos veces por semana a jóvenes, aprovechando que el interés por la pintura y por conocer a los clásicos, está en alza.

Y continuaron con la historia del barrio y de sus edificios, y las anécdotas sobre pintores clásicos y recientes. Después de dos horas de conversación, y a insistencia suya, anotó en el libro su número telefónico. Ella se levantó, pagó el café y se despidió, acordando verse de nuevo.

Al regresar a casa y pensar en el encuentro, sintió nuevas luces encendidas en su cuerpo. Decidió verle de nuevo. Buscó el número anotado y sonrió al recordar que no quiso escribir su nombre. Ni siquiera lo recordaba.

—Pintor —decía, y un número al lado. —*Picasso*—, dijo ella bajito. Así lo anotó, y de manera impulsiva, lo llamó.

—Bueno —escuchó al otro lado.

—Hola, soy Francisca.

—Ah sí, mi admiradora secreta —bromeó, y ella sonrió de nuevo.

—Sí, soy yo. ¿Te parece si nos vemos mañana? —dijo sin entender cómo estaba haciendo esto.

Quedaron de encontrarse en Chocolata, otro café cerca de la plaza. Y durante las siguientes semanas continuaron los encuentros para un café o para comer y descubrieron que compartían muchos gustos y formas de pensar sobre la vida. Disfrutaba conversar y reír con él. Pero no compartió sus dolores ni sus frustraciones. No era necesario. Las vivía cada día al regresar a casa.

Después de un tiempo y de mucho pensar en todo lo que había pasado, se decidió. Debía dejarlo ir, sanar, como decía Itzel, pero, ¿cómo lo haría? Creyó que le ayudaría regresar a San Miguel y la montaña. Al menos un tiempo allá la harían romper con el ciclo de dolor y sacarse la ira que llevaba dentro. Florence y Nitza podían llevar el Centro, como lo hicieron cuando residió en Francia. Debían separarse totalmente y pensar con calma. Sin rabia y sin odio.

Llamó a Itzel pidiéndole que la esperara, iría a San Miguel a pasar unos días con ella. Quería ir a la montaña.

—¿Vienes con tus amigas?

—No, voy sola. Quiero estar sola. Bueno, contigo.

—¿Qué pasa, Francisca?

—Ya te contaré cuando llegue.

Colgó. Escribió rápido en una pequeña hoja y la puso sobre la mesita de noche al lado de la cama.

"Voy a San Miguel, no me llames, necesito tiempo."

20. SAN MIGUEL Y LA MONTAÑA

La noche anterior había hecho los preparativos: ropa cómoda, botas de campo, artículos de aseo, su inseparable mochila con papeles y la computadora. Temprano, a la mañana siguiente, emprendió su viaje a San Miguel Huamuxtitlán.

—Te espero, vamos a subir a la montaña —le había dicho Itzel cuando la llamó para avisarle que iba saliendo—. Debes venir preparada para dejarte llevar, tu cuerpo tranquilo y tu espíritu afable, eso es todo.

Francisca le contestó con un simple —así voy —, incrédula, pero respetuosa como había sido su vida al lado de ella. Solo necesitaba salir de su casa y de Ciudad de México. Itzel era siempre su mejor compañía. Tomó el viejo jeep y se encaminó al sur. Durante el viaje, ahuyentó sus pensamientos. Cuando vio los volcanes Popocatépetl e Iztaccíhuatl, sonrió y les saludó.

—Salve, viejo Popo. Salve, bella Izta. Acompáñenme.

La dulce voz de Marie Laforet, *mon amour, mon ami, je ne peux vivre sans toi, mon amour, mon ami, et je ne sais plus pourquoi* … la pusieron en alerta, y el auto seguía devorando kilómetros. Cuando encontró a Itzel junto a Dorotea, su corazón dio un vuelco, le pareció que había pasado demasiado tiempo sin verlas. Se abrazaron fuerte, lágrimas de alegría y tristeza corrieron por sus rostros. Recogieron las bolsas del equipaje, subieron al jeep y emprendieron el camino. A doscientos kilómetros pasarían a la fonda de don Serafín, y de ahí aún les quedarían por recorrer varios kilómetros hasta San Miguel. Después de casi tres horas de viaje, vieron el valle. Itzel se alegró:

—Finalmente.

Llegaron a la fonda. Al lado aguardaban tres caballos en los que se moverían en adelante. Estacionó y saludó con un gran abrazo a don

Serafín. Entraron, usaron el baño, se lavaron la cara, salieron y se sentaron a comer.

Don Serafín les tenía preparadas albóndigas de carne en salsa roja, frijoles molidos refritos, tortillas recién hechas … comida, olores y colores que la devolvían a su infancia. Recordaba las manos de la nieta de Carlota palmeando las tortillas. El humo de leña seca subiendo hasta el techo; las llamas del fogón tirando chispas, levantándose como en una suerte de danza interminable, azuzada por sus manos que tiraban de los troncos, viendo como poco a poco iban siendo devorados por las lenguas del fuego. Igual agradecía esos olores y ruidos familiares. Después de comer y lavarse pasaron el equipaje del auto a los caballos. Al terminar de cargar, se despidieron de don Serafín, cada una montó el suyo y empezaron a subir el camino hacia la montaña.

Francisca siempre disfrutaba esos eternos paisajes, los pintorescos, aunque pobres poblados, las calles estrechas empedradas, ver a las mujeres indígenas agachadas por el peso de sus cargas. Se descubría una vez más comparando su vida con la de ellas. Se sentía tonta, inútil por fútiles preocupaciones y dolores, que ahora parecían imperceptibles frente a los dolores de estas mujeres o de las jóvenes maltratadas acogidas en el Centro. Se menguaba al pensar en su dichoso viaje de sanación por un dolor de amor.

Las miró cuando subían en procesión con una de las tantas vírgenes heredadas por los conquistadores. Elevaban sus cantos en un idioma ajeno, repitiendo en voz alta las invocaciones que les ofrecían sufrir menos en esta existencia y esperar porque en la otra vida tal vez les fuera mejor; pedían para que el marido no tomara mucho esa noche, o para que la lluvia llegara en tiempo, o que el hijo más pequeño no muriera de hambre o de alguna peste.

También las miró luciendo esos siempre sorprendentes vestidos multicolores, elaborados en sus telares. Venían seguidas por grupos de niños, los más grandes caminando y los más chicos cargados en brazos de las madres o hermanas mayores, sostenidos en sus firmes rebozos cruzados en la espalda. Sonrió recordando cómo ella misma había aprendido de Itzel a usarlos para cargar a los hijos. ¡Qué lejanas sentía esas vivencias!

Se distrajo de sus pensamientos viendo hacia las nubes y se extasió frente a los imponentes árboles empinados, que parecían buscar la luz de ese sol, que estaba pronto a despedir el día. Debían apurar el paso si querían llegar al pueblo antes de oscurecer. Respiró profundamente el aire puro de la montaña, transportado por la neblina de la tarde, bajando a medida que ellas subían, y su cuerpo se impregnaba de vida. Hacía tiempo no concebía tanta paz. En cada paso del caballo, iba dejando rezagados los dolores y angustias.

El paisaje se veía tan cambiado desde su viaje anterior. Al avanzar iban dejando atrás rótulos modernos, flechas con nombres indicando el camino, ofertas de comida, bebida y viajes de sanación. En la fonda ya habían visto autos y un bus con turistas. Se habían cruzado con grupos de jóvenes mochileros que también iban subiendo a la montaña, buscando tal vez razones a su vida.

—De seguro que caerán en manos de chamanes para turistas, les rociarán con aguas de hierbas y encenderán fuegos con polvos de olor, haciéndoles creer que hay algo mágico en el ambiente —murmuró.

Itzel le fue platicando lo que estaban logrando en su centro. Con voz suave le fue relatando el trabajo que hacían con las más jóvenes, y cómo enfrentaban los sufrimientos en manos de sus padres, primero, y de los maridos después. Pero no le compartió sus preocupaciones por las últimas amenazas recibidas y del poco interés de las autoridades ante la nueva oleada de violencia.

Todo fue tan distinto en su primer viaje. Entonces fueron ella, Florence, Nitza e Itzel. Iban con miedo de encontrarse con las patrullas militares que por esos meses custodiaban valles y caminos, con el pretexto de cuidar a la población de guerrilleros en las montañas. Las encontraron a medio cerro, las bajaron de los caballos y registraron lo que llevaban. Les confiscaron parte de los alimentos y los dulces para los niños. Por suerte no pasó a más y las dejaron continuar el camino.

—¡Hacía tantos años de eso!

Se sintió vieja cuando sacó la cuenta. Ya no estaba para estos trotes. En un instante se arrepintió de haber organizado el viaje y convencer a Itzel y Dorotea de acompañarla. Pero ahora ya habían iniciado, y debían continuar.

En aquel primer viaje habían ido en el viejo coche de Francisca. A mitad del camino, Florence propuso bajar a buscar hongos. Alucinógenos.

—Mis primos me indicaron dónde conseguirlos —dijo Florence, corriendo ladera abajo. Después Itzel las vio regresar. Todas riendo, todas despeinadas. Francisca venía tranquila.

—Las tenía que cuidar.

Le contó que Florence había subido a un árbol desde donde dictó su discurso antisistema.

—¡Nadie podrá contra la furia del pueblo, si nos organizamos podremos conquistar el mundo! —decía puño en alto ella sin perder la compostura. Nitza, por su lado, se quedó sentada en una enorme roca, cantando todo el repertorio de Joan Baez: *He knew I would be his bride with a kiss for a lifetime fee but I was nothing to him and he was the world to me…*

—Las tenía que cuidar, ¿sabes? —le repitió una muy seria Francisca, rompiendo después en risas.

En ese viaje de juventud, las cuatro mujeres habían llegado a la aldea después del anochecer. Colocaron las hamacas, los aros en los bordes, para impedir que las serpientes bajaran por las cuerdas. En la noche, la tía de Itzel les había enseñado cómo las tejedoras pasaban horas sentadas en el telar de cintura, haciendo las prendas para vender después por unos pocos pesos en el mercado. También les contó de las redadas del ejército, el robo de los granos, el miedo de perder a las más jóvenes, la búsqueda de los llamados bandoleros. Tomaron atole caliente con toque de canela y un pan de maíz que les supo a gloria. Al día siguiente se levantaron muy temprano, se lavaron, saborearon un café fuerte y dulce con panecillos que la tía preparó antes del amanecer, cargaron las bolsas con bocadillos y agua para el resto del día, y emprendieron el camino a la montaña.

Eran seis caminantes en aquella ocasión. Delante iba Itzán, el primo de Itzel. Le seguía Francisca, atrás venían Florence y Nitza, y después caminaba el hermano de Dorotea. Itzel cerraba la extraña procesión. Hicieron dos horas de marcha. Francisca admiró los espléndidos árboles milenarios en las laderas de las montañas, en contraste con los grandes campos sembrados de maíz sin la seguridad de que daría cosecha. Casi a media mañana divisaron el pico de la montaña. Vista imponente. El primo de Itzel les señaló por dónde escalarían, y les aconsejó tomar algo de lo que llevaban: un poco de pan, chocolate y chicha dulce de maíz les daría fuerza para terminar de subir.

Recordaba con nostalgia ese viaje. Las amigas felices, descubriendo todo lo que veían a su paso. Al alcanzar el pico más alto de la montaña, Itzán se detuvo y se sentó en el primer claro que encontró. El resto hizo lo mismo. Itzel sacó las hierbas y unos vasitos, encendió un fuego y organizó con piedras una especie de altar al centro de la pequeña planicie. Al completar su ofrenda llamó a Francisca.

—Ponte en el centro. —Ella insegura de hacerlo, no se negó. Se sacó botas y calcetines y se colocó donde se le indicó. El fuego crepitaba y se sentían olores de las hierbas al contacto con las llamas. Las amigas observaban sus movimientos.

Itzel comenzó un cántico triste pero armonioso y le siguió Itzán. Francisca se quedó quieta, extasiada, cantaban rápido y en susurros. Recibía sus cantos y humos perfumados, sin comprender qué hacía ahí. Al terminar, Itzel entró al círculo, la tomó de la mano y la llevó fuera. Después hizo lo mismo con sus dos amigas.

Llegó la hora de bajar y evitar los vientos de la noche. Recogieron lo que habían llevado y emprendieron el viaje de regreso silenciosamente. Al llegar al poblado, dejaron todo en el cuartito que hacía las veces de cocina, y se prepararon para comer y descansar. Había sido una experiencia tan distinta, tan extraña. Se sentían livianas.

Más de treinta años después, Francisca se miraba en el mismo sitio. Ahora era ella, sola, sin las amigas. Itzán había completado su formación y era un reconocido chamán. En una suerte de graduación, permaneció un mes, solo en la montaña, donde aprendió a escucharla, a reconocer sus sonidos, usar las plantas y valerse por sí mismo. Él e Itzel componían ahora una orgullosa familia de chamanes.

Las estrechas casitas del pueblo se alzaban en los bordes de la montaña. Para bajar al pueblo más cercano debían caminar al menos dos horas.

Al llegar a la pequeña explanada, Itzán comenzó a cantar rápidamente en su lengua … *Lu ti neza chupa ná' nagu'xhugá zuguaa'. Tobi ri' nadxii naa, xtobi ca* … Se sentía aturdida. El siguió sacudiendo los brazos sobre las llamas de la fogata que habían preparado. Veía a Francisca con los ojos bien abiertos. Ella se conmovió, y empezó a asustarse. Tomó la mano de Itzel, pero ella la soltó.

—Tienes que enfrentarlo sola, tu fuerza será la única que te salvará, mi fuerza te ayudará en el viaje, pero aún no llega el momento —le dijo con voz suave.

Itzán detuvo la danza frenética. Las volutas de humo parecían hablarle, provocándole ese canto como lamento cuya destinataria era ella. Francisca había quedado paralizada. No sentía miedo, solo incertidumbre. Itzel se acercó y la tomó del brazo. La empujó al círculo de flores y rocas que rodeaban el fuego. La hizo sentar y la dejó sola. Se quedó quieta. Que cerrara los ojos, le dijo. Sus años de análisis racional, de despojo de creencias, dioses y seres superiores, se enfrentaban en su interior. Ya no luchaba. Toda su energía la había dejado con Andrés. Era tiempo de dejarse ir, como le repetía Itzel.

—Talvez si cierras los ojos. Déjate ir, déjate llevar.

Así lo hizo. Cerró los ojos y todo desapareció.

Cuando despertó, el fuego se había cansado, las piedras estaban amontonadas en una especie de altar y los pétalos de flores yacían esparcidos en la explanada. Ella estaba encogida en posición fetal sobre el rebozo. Se levantó, se sacudió la ropa, se frotó la cara con las manos. Itzel acudió a ella.

—¿Cómo te sientes? —quiso saber.

—Bien, estoy bien, un poco cansada nada más, ¿qué pasó?

—Dormiste una hora, hay que comenzar a bajar. —Francisca buscó con la mirada alrededor.

—Itzán ya bajó —le dijo Itzel, entendiendo lo que ella buscaba.

Bajaron calladas, mirando al sol ocultándose entre las enormes paredes de las montañas, creando un espectáculo de luces y sombras agitado de un lado a otro. Cuando vieron los primeros techos de las casas del pueblo, se miraron tranquilas. Al llegar a la casa, Francisca se separó y se sentó al lado del fogón. Su cuerpo temblaba, pero no sentía frío. Pensaba en las respuestas a todas sus dudas. Lágrimas bajaban lentas y calladamente por las mejillas. Le retumbaban las últimas palabras de Itzán, antes de caer en ese sueño profundo.

—Debes respetar los tiempos, debes respetar el tiempo de la montaña, el tiempo de las travesías, el tiempo de las formas, el tiempo de la vida. Tendrás tiempo de dolor, de angustia, de desesperanza, vendrán posteriores a los tiempos de alegrías, del descubrirte, de tu propia fuerza. Pero no puedes adelantarte a nada. Todo debe venir en su propio momento. Solo debes esperar, ver y esperar.

—¿Qué había querido decir con eso? —se preguntó.

En los días siguientes, Francisca sintió que iba recuperando su tranquilidad. Poco a poco iba aprendiendo a convivir con ella misma, a vivir sin estar envolviendo la vida de Andrés. Iba dejando ir sus fantasmas. Sintiéndose a salvo de él … y de sí misma. Se acercaba el día del regreso.

Después de un mes en San Miguel, que también usó para ayudarle a Itzel con las jóvenes, se sentía lista para volver. El día de su partida el cielo amaneció sombrío, como si las nubes negras precedieran lo que estaba a punto de ocurrir en su propia vida. Con su decisión y esos pensamientos emprendió el regreso a casa. Se sentía triste, pero resuelta a lo que enfrentaría de ahí en adelante.

21. ME GUSTABA MÁS CUANDO ERAN TUS VERDADES ...

Al regresar, sintió su equipaje más liviano. Andrés volvería de su último viaje dos días después. Entró a la casa envuelta en oscuridad, dejó todo sobre la alfombra al pie de la cama. Ya mañana se organizaría. Tomó una ducha, se puso un vestido negro largo y un par de hermosas arracadas de plata complementaron su atuendo.

—Son iguales a las usadas por María Félix en la película *Doña Bárbara* —le aseguró la amable señora que se las vendió en la feria de San Ángel hacía diez años. Se maquilló un poco y se sintió lista y animada para salir al barrio, sus calles, sus cafés, sus plazas. Lo había extrañado todo.

Respiró profundamente el olor a tierra mojada, escuchando hasta el más mínimo detalle de las gotas de agua cayendo en las hojas. Ni siquiera se dio cuenta de que se estaba mojando. Llegó al parque cuando la lluvia había cesado. La misa parecía recién terminada porque había varias mujeres mayores haciendo corrillos, de pie alrededor de las bancas mojadas, comentando seguramente las palabras del cura en la ceremonia. Francisca pensó que ninguna novedad, hacía rato que la Iglesia no decía novedades. Más bien había ido retrocediendo en su manera de ver el mundo. Cada vez hay menos gente en los templos, aparte de los turistas que llegan a admirar el pequeño santuario ubicado al fondo del parque, construido al inicio de la Colonia, como dice el cartel que invita a entrar y conocerlo.

—¿Quiere saber qué pasó aquí? —leyó y siguió su camino cruzando la calle hacia el Centro Cultural. Miró el rótulo: Aurelia. Siempre le había gustado el nombre. Saludó al guarda de la entrada. No lo conocía, nuevo personal. Tampoco conocía al joven que vendía pequeños cuadros pintados sobre plumas. Miró a la chica de cabello azul en la puerta de uno de los grandes salones donde había clases de baile. Y donde durante tantas tardes ella y Andrés aprendieron los ritmos caribeños y el tango. El pasado.

No quería pensar, así que caminó más rápido en dirección al café.

—Me gustaría encontrar a *Picasso* —pensó sonriendo, recordando al apuesto ocurrente que conoció semanas atrás. Le haría bien conversar con él. El mesero la reconoció, y le ofreció algo para secarse. Ella le sonrió y agradeció el gesto, dirigiéndose al baño. Se miró en el espejo sacudiéndose los cabellos. Salió y se sentó lejos del bullicio de las otras mesas, donde varios jóvenes gritaban y cantaban al ritmo de un pequeño tambor tocado por una de las chicas. Pidió un vino y se quedó quieta observándolos, a ellos y a las hojas que la lluvia había tirado de los antiguos árboles que circundan la hermosa plaza del Centro Cultural. Estaba triste, pero tranquila.

—Quiero que te vayas —le dijo dos noches después a Andrés.

Ese día, ella lo esperó como antes lo esperaba todas las tardes. Sentada en el pequeño jardín de la terraza de su casa, ahora casi invadido por hierbas malas. En la mano un vaso de vino. Hasta ahí llegó él, y finalmente aceptó la verdad. Nunca más volvería a su encuentro. Eran el uno para la otra, decía la gente, él con un atractivo raro, ella mujer de mundo, segura. Tanto para contarse, tanto para compartir. Ahora ya no.

> *"De repente entendí el sentimiento que llenaba mi vida y mi cuerpo. Lo podía percibir y lo estaba disfrutando. Era rabia, pura rabia, nunca antes lo había visto tan claro y hoy la identifico plenamente. Y estoy orgullosa de estarla sintiendo. Me da vida."*

Era un placer nuevo y definido. Se veía a sí misma como en una estancia oscura sin ventanas, donde viviría ahora. Se imaginaba como lo que era, la peor expresión de su oscuridad. Ahora entendía mejor cuando las mujeres agredidas tomaban una decisión y no volvían atrás. Les tomaba tiempo decidirse, a veces peligraban sus vidas, pero cuando finalmente lo resolvían, no había vuelta. Así estaba ella ahora. Él se había acostumbrado tanto a las mentiras que ya no distinguía entre realidad y ficción.

—¿Qué puedo hacer para quedarme? —le rogó esa noche.

—Nada —dijo, sorbiendo con frialdad un trago de vino como una verdad amarga.

Ella suspiró y como en pasarela, desfilaron por su memoria todos los momentos juntos. Era distinto entonces. Cerró los ojos como si a través de sus párpados pudiera ver todo de nuevo, y tal vez le ayudase a mantener la decisión tomada.

No quiso insistir. Se quedó callado, esperando convencerla después. "Debe tener su espacio, su tiempo", pensó, dando la vuelta en camino a la habitación. Tomó un par de trajes, algunas cosas personales, las puso en una maleta pequeña y salió. Francisca se quedó pensando en lo rápido que se había convencido. Hubiera querido que peleara.

—No puedo vivir sin ti. —La nota escrita a la rápida reposaba sobre la mesita de noche, ya vacía de los libros de Andrés.

—Yo sí puedo vivir sin ti —aseguró en voz alta Francisca, y sintió recuperar su mundo y su fuerza. Ya no sufriría por nadie más.

"¿Perdonarlo?, perdonar es peor que vengarse. ¿Vengarse? La venganza es lo único que logra sacar el dolor, aunque luego nace un nuevo dolor con sabor amargo, inolvidable, entrañable y lo entrañable es así, tatuado en las entrañas."

Terminó el vino, se levantó, sola en el baño se lavó la cara y el cuello, se acarició con crema y buscó su ropa de dormir, como en una ceremonia formal. Se sacó los zapatos y la ropa, estiró los brazos y manos, y se quedó viendo el vientre, las piernas, se alisó los cabellos y por un momento pensó en lo bien que se sentía ahí en la soledad de la habitación. Dejando de lado la ropa de dormir, se acostó en su lado de la cama y cerró los ojos mientras se zambullía entre las sábanas. Finalmente, esa noche pudo dormir sin pesadillas. Ni siquiera con la madre. Fue como si ese lugar donde se guardan los sueños, se hubiera quedado vacío.

Una semana después de la partida de Andrés, Francisca debía presentar dos casos en el juzgado. Antes del amanecer sintió dolor en el cuerpo, como si hubiera corrido una maratón. Se levantó y se preparó para salir. Al ver el espacio en el armario de donde él sacó los trajes la noche de su partida, sintió frío. Pero no podía seguir con estos pensamientos. Ella era otra, fuerte, individual, de una sola cara. Sacudió la cabeza. Tenía mucho trabajo que completar.

El juzgado estaba lleno de gente. Le esperaba Florence con las dos muchachas de los juicios del día. Greta y Catalina eran tan jóvenes y dolía verlas ahí sentadas, tan niñas, tan indefensa, maltratadas, sus jóvenes rostros envejecidos, sus ojos sin lágrimas.

En el sector izquierdo, estaban sentados cuatro hombres. Dos de ellos, los abogados, vestidos de traje, muy formales. En medio de ellos, los acusados de cabeza gacha, con el cabello muy corto, uno con un arete en la oreja. Ambos vestidos de camisa y pantalón color negro, aunque descuidados, sus facciones les daba una apariencia tosca y fiera. El de más edad, el padre; el otro era el tío. Los dos habían abusado de ellas durante cinco años, desde que eran unas niñas de diez y once años. Las habían vendido.

—Debían pagar por su comida y el viaje, si nada en la vida es gratis, ellas son fuertes y aguantan —dijo el padre en su confesión. Francisca sintió ganas de matarlo. Nunca llegó a entender porque los hombres siempre creen tener la propiedad sobre la vida de las mujeres. Las niñas debían hacer lo que ellos quisieran. Era como si por haberles dado la vida, podían disponer de ellas.

La madre, sentada atrás, sola, muy joven, casi de la misma edad que las hijas, de vestido floral, gran broche en el pecho, sonreía tontamente. Francisca no podía entender, nunca podría, cómo una madre permitía esto.

Después de escapar de sus familiares, las niñas habían fracasado en el intento por cruzar la frontera, y fueron detenidas por la patrulla migratoria. Las habían ingresado a un albergue en Tijuana. De ahí las llevaron a la capital del estado a un centro de detención para jóvenes.

Al llegar al albergue, y sabiendo el destino que les tocaría, escaparon y pidieron refugio en el convento de las Carmelitas Misioneras de Santa Teresa, adonde llegaron, sucias, desesperadas. Las monjas las acogieron, asumieron su responsabilidad frente a las autoridades, les brindaron un espacio donde dormir, y les dieron de comer. Al día siguiente avisaron a Francisca, con quien desde hacía años organizaban acciones de apoyo a mujeres. ¡Qué distintas estas monjas de las de su juventud! Pero ellas no sabían qué hacer, no tenían condiciones para cuidar a las niñas. Francisca se puso en contacto con una colega de Tijuana, a quien pidió trasladarlas a Ciudad de México.

Dos días después ingresaban al Centro. Fueron recibidas por Nitza, que las instaló, les dio ropas limpias y las hizo descansar. Les repitió cómo pudo el relato de las niñas a lo largo del viaje. Nitza no podía contener la rabia y el sufrimiento por el horror vivido. Itzel llegó al centro un día después. Traía sus hierbas, sus pociones milagrosas, sus manos firmes, su afecto. Entró con ellas al cuarto, hablaron por horas. Al salir Itzel se notaba cansada. Les aseguró a Francisca y Florence que las chicas estaban bien, se disponían a ir a juicio, dirían todo cuanto sabían. Se quedó una semana. Al terminar, se despidió, tomó su pequeña maleta y regresó a su pueblo. A sus niñas. Su centro de refugio, *Bata Nánu*, estaba creciendo. "La palma de nuestras manos", un nombre adecuado para alcanzar sueños.

Ahora, en el juicio, Greta y Catalina sentadas ahí, parecían tan frágiles, frente a sus torturadores. En tanto, la madre, a la que no pudieron acusar de complicidad, solo observaba lo que pasaba en la sala. Desmenuzaba con la mirada a las hijas, rabiosamente, porque si las había parido podía moverlas a su antojo, como débiles ramas. Las podía quebrar, doblar, burlarse de ellas.

Francisca solo quería entender. ¿Qué sienten los agresores cuando maltratan a las mujeres? Ven crecer su poderío cuando las tienen bajo su cuerpo, llorando, gimiendo, intentando resistir. ¿Cómo pueden ser tan despiadados a los llantos y al terror reflejado en los rostros de esas niñas? ¿Qué parte de sus emociones las dedican a recrearse en esos rostros castigados, maltratados, humillados? Francisca quería también entender cómo algunas mujeres podían ponerse del lado de esos criminales. Ellas habían sido víctimas en su momento, y hoy eran cómplices de toda esa crueldad. A veces, creía que no podría seguir enfrentando su día a día.

Pero ahí estaba y debía hacerlo.

Seguía también luchando contra sus propios demonios. Cerró los ojos como una forma de concentrarse. Se había preparado con mucho cuidado. Llevaba cada caso documentado y ordenado de manera meticulosa, en sendos cartapacios llenos de papeles. Había oído y transcrito en detalle cada entrevista de las chicas, había visto cada lágrima de sus mejillas, en esos rostros apenas empezando a transformarse en adolescentes. Los encuentros con los defensores de los acusados eran el paso más amargo que le tocaba dar, si bien tenía dureza en el cuerpo y sabía los peligros que debía enfrentar.

—Abogada Izaguirre —dijo el juez—, ¿está lista?

—Sí, señor —respondió saliendo de sus pensamientos, y con la mano repasaba una y otra vez los fajos de papeles frente a ella.

Y Greta y Catalina viéndola, como preguntándole.

—Sí, señor juez —dijo nuevamente—, aquí tengo la acusación contra los señores Maldonado. —Y repasó detalladamente los relatos de las niñas, deseando que no fuera cierto, que no existiera tanto dolor—. Ellos abusaron de las dos menores, los testigos podrán pasar cuando usted lo estime conveniente.

Cuatro horas después, Francisca estaba en la calle. Esperaba en las siguientes semanas la sucesión de las audiencias y, con suerte, en los próximos meses el juez dictaría sentencia. Greta y Catalina iban camino al Centro con Florence. Los acusados quedarían en prisión el tiempo que durara el juicio. No sabía en qué terminaría todo este esfuerzo. No sabía dónde les llevaría. Solo sabía que debía intentarlo. Quería creer.

22. DEL ARREPENTIMIENTO

Al salir de la casa, Andrés miró a ambos lados. En la esquina derecha miró al chico de los tacos de canasta conversando y riendo con otros dos hombres, al frente su auto estacionado. Le pesaba la pequeña maleta, la levantó, la puso en el asiento de atrás y subió al coche. No tenía conductor, no quería ser visto así. Encendió y manejó en dirección al Apartotel donde tantas veces había hospedado a los clientes que le visitaban en la ciudad. De repente se sintió viejo. Se le agolparon las emociones negativas acumuladas desde hacía días. Creyó que con el regreso de Francisca podrían arreglar lo que ahora parecía irremediablemente roto.

—Señor Andrés, ¿nos viene a acompañar?

Sintió como una burla las palabras de la recepcionista al llegar. La miró sin responder. La chica se sonrojó y agachó la cabeza para buscar el formulario. Hizo el proceso de registro, pero dejó en blanco la fecha de salida. Tomó las llaves y caminó hacia el pequeño departamento donde viviría las siguientes semanas, pero aún no lo sabía. Al entrar, las tiró sobre la mesita al lado de la puerta, puso sus cosas en el mueble auxiliar y se echó en la cama.

La última conversación con Francisca lo había dejado cansado, maltrecho. Tenía la vida trastocada. Ella podía ser cruel cuando quería y se mostraba muy herida.

Solo él era responsable de esta transformación. Miraba las fotos, releía las cartas, sus mensajes, los de Gabriela. Los que llegaron a manos de Francisca. Sentía un total abandono de su cuerpo. Al sonar el celular se incorporó. "Gabriela" leyó en la pantalla.

—No quiero hablar contigo —dijo, como si ella estuviera frente a él. Tiró el teléfono sobre la cama, aunque sabía que insistiría. Efectivamente, un minuto después sonó otra vez. "Gabriela", mostraba de nuevo la pantalla. Respondió la llamada.

—Hola, no puedo hablar ahora.

—¿Qué pasa?

—Nada, solo quiero un momento de tranquilidad.

—Le llamaba porque aquí está la gente de Italia citada para las siete, y está todo listo para la reunión. —"Le llamaba", aún y después de todo seguía hablándole de usted. Claro, él era el jefe, ¿o sería por la edad? Seguía tratándolo de usted manteniendo un tono formal suave como deslizando las palabras. Se acostumbraron a conversar en la oficina, en los pasillos, cuando se cruzaban, atendiéndose mutuamente, concentrándose en los temas que les preocupaban y compartían. En la oficina siempre lo hacían a la vista de todo el personal, pero fuera de miradas indiscretas se buscaban las manos y los cuerpos, y olvidaban lo que querían decirse. Quiso ahora dejarlo de lado.

—Lo había olvidado totalmente, gracias. En quince minutos estaré ahí.

Se levantó, tal vez lo mejor era ocuparse con los asuntos de la empresa. Se puso de nuevo el saco y bajó al estacionamiento.

Al entrar en la oficina se encontró con Gabriela y los italianos. Saludó serio y calmado y comenzó la reunión, que concluyó tarde en la noche. Gabriela despidió al grupo y regresó a la oficina. Le tomó el brazo.

—Ahora no, Gabriela.

—Pero, ¿qué pasa?

—Está bien. Francisca me echó de la casa, eso pasó, estoy fuera.

Gabriela se quedó quieta como esperando.

—No te imagines cosas —Andrés la miró con fiereza—, esto se acabó. Tú lo sabías, lo has sabido siempre.

Al salir de la oficina después de la reunión, se fue directo al Apartotel. Sonó el celular. "Gabriela", se leía otra vez en la pequeña pantalla. Lo dejó sonar. Entró a la habitación, del minibar se sirvió un trago de *whisky* solo y se sentó en el sillón frente al televisor. Se quedó en penumbras sorbiendo el trago, viendo la pantalla negra.

23. GABRIELA

From: Andrés Ibañez-*andresibanez.director@foodandmore.com*
To: Gabriela Montalban-*gab.montalban@foodandmore.com*
Date: Jun 14, 2006, 07:11 AM
Subject: Solicitud de apoyo para presentación
mailed-by: Foodandmore.com

Buen día querida … cada segundo de la noche fue pensarte … guardo tu piel en mis manos … Pretendo ejercer un ensayo de la imaginación buscando hacer coincidir lo que siento al estar contigo. Te beso recorriendo despacio tu geografía. Me desplazo por tus esquinas, embriagado de tus olores y mi boca recorre tus brazos, hasta encontrar tus manos abiertas como abanicos. Mi boca busca el inicio de tu vientre, me detengo sin poder contener las emociones y me asomo al abismo que me da vida. Si te sientes impactada en lo más profundo de tu ser, significa que mi imaginación logró transmitir lo que me haces sentir. Así quiero seguir. Siempre.
     A.

    Delete, delete, delete. Como si apretando fuertemente las teclas pudiera borrar lo pasado. Todo lo vivido y disfrutado. Y amado. La imagen de Andrés quedó sola proyectándose en la pantalla. Desaparecidas las letras. Vacía.

    Andrés despertó en la rutina del Apartotel donde llevaba un mes viviendo. Se sintió extraño, añoraba sus mañanas con Francisca. Ingente peso era dormir sin ella. Los primeros días los vivió en la novedad, deseando que no fuese por mucho tiempo y hasta había disfrutado dormir solo, como en sus viajes. Pero ahora le ahondaba la tristeza. Era enorme la soledad en esa cama. No había querido ver a Gabriela fuera de la oficina, y ella urgía su presencia.

Salió del lugar, pasó por la cafetería de la esquina, pidió un *flat white* y una concha pequeña. Llegó a la empresa, saludó a su asistente, a la ligera, casi distraído. Entró al despacho y se dejó caer en el sillón blanco donde tantas veces había estado con Gabriela. Se tomó la cabeza entre las manos y soltó un largo suspiro.

Y como si la llamara, la chica tocó la puerta, Andrés se sobresaltó, levantándose de inmediato.

—Adelante —dijo, queriendo decir "no estoy".

Ella entró, observándolo, intuyéndolo.

—¿Qué quieres? —le preguntó él con poca simpatía —ahora no, hablemos después.

Ella lo miró, cortada su iniciativa. Dio la vuelta. Salió y regresó a su oficina, era linda, con vista al parque del barrio. Es increíble cómo una mancha verde hace la diferencia. Toda la belleza de la mañana reflejada en las paredes. Se sentó en el sillón y tomó un sorbo de agua. Cerró los ojos y respiró profundamente. En momentos como este recordaba los abrazos con olor a ceniza y carbón de su abuela, y como siempre le decía que sueño y muerte es lo mismo. Para ella, en aquel momento, soñar era salir de la vida que tenía. Gabriela quería pensar como si su destino estuviera ligado al de Andrés, pero ya no tenía ninguna certeza.

—Veintiocho años —se decía Andrés. A veces no quería saber su edad, y no le afectaba. Pero no era cuestión de edad. Gabriela sabía que él era contemporáneo de su padre, un poco más joven tal vez. Nunca le había gustado estar con hombres jóvenes, o de su edad, se lo había repetido.

—Solo veintiocho —se repetía él, que ya había pasado los sesenta. Nada de eso importaba. —Cuando yo tenga setenta, ¿tendrá cuarenta? No sé por qué pienso esto, si no estoy planeando vivir con ella.

Ahora, se veía a sí mismo como creía que lo debía ver Francisca, un hombre seguro, haciéndose mayor, intentando evadir la edad. Ligando con una mujer tan joven como sus propios hijos, ansiando recuperar esa juventud que se le escapaba del cuerpo. No se reconocía. No era ya el hombre que había construido una vida con Francisca. Lo sabía, y la estaba perdiendo.

24. SIEMPRE ES POSIBLE ALGO DISTINTO

—Hola, disculpa, ¿me das fuego?

Francisca salió de sus pensamientos, y volteó hacia dónde venía la voz. El insistente y apuesto barbado con aires de *hippie* que había conocido semanas antes, le miraba detrás de un cigarrillo sin encender. Le dijo no con suaves movimientos de cabeza.

—Lástima —dijo con la sonrisa irónica que ella recordaba—. Ya no tendré excusa para quedarme más tiempo aquí.

Francisca sintió sus mejillas ruborizadas y sonriendo también, le invitó a sentarse. Casi previendo que podía arrepentirse, tomo una silla rápidamente y le tomó la mano. Ella reconoció haberlo extrañado. Hacía tiempo no se encontraban. Mirando de vez en cuando a un grupo de jóvenes sentados al fondo del local riendo fuertemente, se fueron poniendo al día con sus vidas durante las últimas semanas y siguieron conversando hasta que cayó la noche. Después que el grupo bullicioso pagó y se fue, quedaron ellos y otra pareja en la terraza techada. Cuando las campanas de la iglesia sonaron, dijo que era hora de volver a casa. Le dio la mano y acordaron verse ahí mismo al día siguiente.

—Tenemos una cita —dijo él.

Ella asintió, se levantó y tomó su bolso.

—Ni se te ocurra —le dijo cuando ella intentó sacar el monedero.

—Gracias —respondió levantando la mano para despedirse de los jóvenes meseros y salió a la calle. Respiró profundo. La lluvia que inició al mediodía había cesado y las piedras de las banquetas lucían brillantes. Caminó lentamente en dirección a su casa. Al entrar encendió solo una lámpara de mesa, le gustaba estar en penumbras, a diferencia de Andrés que amaba la luz.

Se sirvió un vaso de vino. "El vino se sirve en copas", decía Andrés, "no en vasos". A ella no le importaba. Pensó de nuevo en *Picasso*, le hacía gracia haberlo nombrado así. Seguro a él tampoco le importaría tomar el vino en vaso. Con ese pensamiento, subió las piernas en la mesa y siguió saboreándolo con un placer casi olvidado.

Las tardes con el pintor se fueron haciendo parte de su rutina y cada vez disfrutaba más esos momentos de libertad. Cuando retornó a sus actividades cotidianas en el Centro, lo hizo para preparar varios juicios. En las semanas siguientes perdió de vista a su nuevo amigo.

Francisca sabía que podía llamarlo, pero no quería hacerlo. Iba regularmente a la cafetería donde se habían encontrado la última vez. Llevaba un libro, o se pasaba las horas revisando sus casos. Una de esas tardes, el pintor entró con su eterno cigarro sin encender en la mano izquierda, cargando en la mano derecha un par de libros. Su barba lucía recortada, sus cabellos un poco más largos, pero bien cuidados. Se acercó poniéndose entre ella y los rayos de sol que en esa tarde fría le calentaban. Al verlo, se levantó y lo abrazó efusivamente, arrepintiéndose segundos después. Él aceptó su abrazo y la rara efusividad, y se sentaron. Pidió un café espresso para él, ella siguió con su capuchino.

—Estuve de viaje —comenzó, al tomarle la mano, explicando el porqué de la ausencia, riéndose y diciéndole que no se movería de la ciudad en los próximos meses.

Francisca no entendió, o no quiso entender, el porqué de su alegría. La llegada del mesero con el café interrumpió la plática. Ella se acomodó en el respaldo de la silla hacia atrás, y él cruzó la pierna. Una especie de incomodidad se alzó entre ellos, como si no supieran qué hacer con sus cuerpos. Él le contó de los viajes, sus encuentros con otros pintores, y las novedades en Buenos Aires, Sao Paulo y Lima. Le describió los restaurantes visitados, las comidas degustadas, las exposiciones y noches de desvelo en fiestas y eventos, y las ideas que traía para nuevos proyectos, como su deseo de volver a pintar murales en las paredes públicas de México.

—Conocí a un artista francés, Jr. se hace llamar, hace montajes artísticos en edificios abandonados en pequeñas ciudades, me mostró los murales en los que ha participado y me ha dado ideas para hacerlo en el sur de México. Quiero retratar la tragedia de la migración de mujeres jóvenes.

Él se mostraba entusiasmado con todo y compartía ansioso con ella que lo escuchaba sintiéndose cada vez más tranquila. Se despegó del respaldo de la silla, e inclinándose hacia él en una posición de cercanía, le contó de sus días en el barrio, sus largas caminatas y de la última investigación. También, de la aprobación de los nuevos centros para la protección de mujeres agredidas y de los avances de su tesis sobre cómo la ciudad se preparaba para fomentar una nueva cultura de respeto hacia niñas y adolescentes.

Él admiraba el énfasis en cada palabra, la manera de mover sus manos, el paso de la lengua para humedecer sus labios, la cucharita dando vueltas y vueltas en la taza mientras hablaba. También sentía que la había extrañado, sus conversaciones y su figura, presentes en las memorias de su viaje. Y siguieron así, sin noción del tiempo. hasta que la chica de la cafetería se les acercó:

—Pronto iniciarán las clases de tango por si están interesados. —A Francisca le hizo gracia, y se sorprendió diciendo que sería divertido volver a las clases donde hacía muchos años había disfrutado aprendiendo a bailar.

Cuando la mesera se fue, se sintió animada a preguntar:

—¿Te gusta el baile? Es decir, ¿te gustaría bailar tango? —, confundida, no terminaba de hacer la pregunta.

—No logro mover ninguna parte de mi cuerpo para bailar —respondió él después de una larga carcajada—, pero si quieres puedo intentarlo.

Antes de arrepentirse, se levantó y tomándolo de la mano, casi lo arrastró a la entrada del salón. La chica estaba haciendo el registro.

—En cinco minutos comienza la siguiente sesión —dijo extendiéndoles un recibo. Él, sin responder, tomó el papel, pagó y entraron al salón donde otras personas ya esperaban. Saludaron con timidez a sus compañeros de baile, comenzó a sonar *Otoño Porteño,* de Piazzolla y apareció una pareja de bailarines en traje negro, saludando con familiaridad al resto de los participantes. Se acercaron a ellos, intercambiaron sus nombres y regresaron al frente, dando inicio a las instrucciones de los movimientos básicos del tango. El hombre abrazó por la cintura a la mujer, ambos parecían sentirse tan bien junto al otro, y al ritmo de la música empezaron a moverse.

—Tomen a sus parejas —indicaron— y un dos tres, un dos tres, un dos tres— dando vueltas lentamente, con una sensualidad tan sutil que parecía irreal y con los pies tan firmes de modo que los aspirantes a bailarines vieran cómo hacerlo, evitando cruzarse.

Francisca sintió la mano firme del pintor en su espalda y descubrió una ola de gusto en el cuerpo. Y mientras bailaban, o intentaban hacerlo, se despertó en ambos la satisfacción por el abrazo justificado por la música. Al terminar la media hora de clase, salieron riendo satisfechos por sus modestos avances.

—Ahora nos merecemos algo más fuerte que un café —dijo él, seguro, y le tomó de nuevo el brazo, caminando hacia la cafetería. Se sentaron en la misma mesa, percatándose que no habían pagado el consumo de los cafés. La mesera les sonrió y se acercó a ellos. Ambos pidieron una copa de vino tinto.

Era la mesa puesta debajo de una frondosa jacaranda casi desnuda de todas sus flores, algunas de las cuales reposaban sobre ella como una suerte de mantel morado. Con el color, ella se percató de que ya había pasado un año desde que se conocieron. No podía creer el tiempo transcurrido. El árbol mostraba ahora sus ramas como en una plegaria hacia arriba. Francisca se dio cuenta de que ya no le molestaban más las flores moradas, ni sus alfombras sobre el piso.

Al caer la noche dijo que debía retirarse. Él no la detuvo, pero le insistió en un nuevo encuentro. Se despidieron con un beso en la mejilla, muy cerca de los labios y un apretón de manos. Francisca se encaminó al portón de la entrada y salió a la calle. Él la quedó viendo hasta perderla de vista.

25. TODO SIGUE SU CURSO

—Días terribles fueron los siguientes —decía Francisca una mañana, gesticulando frente al pintor y se envolvía el cabello para armarse una trenza.

—De aquellos días no quiero acordarme—agregó, apretando su mano.

—¿Te conté de cuando compramos esta sillita? —continuó, señalándole la pequeña silla de madera con bordados coloridos en el respaldo y el asiento—. Fue en la feria de antigüedades cerca de Montmartre y me gustó tanto … nos dijeron que había sido elaborada con madera traída del Amazonas, bueno al menos ese fue el argumento de la vendedora para convencernos de comprarla. Pintada a mano —dijo levantándose, acariciando las flores y hojas del respaldo, recordando ese día cuando pusieron los ojos en la dichosa silla y la colocaron en un lugar especial del departamento en París.

Lo que siguió después ya no lo compartió con *Picasso*. Habían hecho el amor en el salón y pasaron horas acostados en el piso viendo el cielo a través del enorme tragaluz coronando el techo. Se estremeció ante los recuerdos de esas noches impetuosas, casi violentas, pero el contacto de la mano del pintor la sacó de sus pensamientos.

—¿Estás bien?

—Sí, vamos —tomó el bolso y caminaron en dirección a la puerta.

Al regresar del restaurante donde pasaron la tarde, se despidieron en la puerta de la casa. Sin esperar *Picasso* dijo:

—Tengo que armar una exposición en Oaxaca ¿Te animas a venir conmigo?

Francisca quedó sorprendida y halagada por la invitación. Su relación se había estrechado en los últimos meses y él sabía cómo ella seguía lidiando con su nueva realidad. Ella pensó que, aunque le gustaba la idea, no estaba muy convencida de ir a Oaxaca. Quería pensarlo un poco, no podría viajar así de repente. Le avisaría, le dijo, le dio un beso y se despidió.

Una hora después Andrés tocó el aldabón. A Francisca le extrañó su visita porque tenían semanas sin encontrarse. Después de la separación, él había tomado la costumbre de pasar algunas tardes al salir de la empresa, la saludaba cariñoso pero distante, queriendo evitar su rechazo. Cuando Francisca se sentía más animada, le invitaba a una copa de vino. Podían conversar largo rato de los hijos, del trabajo, de política, de literatura. Nunca más de su vida actual, de Gabriela, o de perdones. Ella sabía que lo extrañaba, en la cocina, en la terracita, y en el dormitorio, donde lo dejó entrar algunas veces. Andrés agradecía esas noches, creía recuperarla. Se volvían a amar y exploraban las extremas pasiones. Él se iba y ella se llenaba de enojo por haberse permitido llegar a ese punto y se arrepentía por haber sido débil. Después, solo silencio y abandono.

—Entra —le dijo y pasaron al patio trasero.

La miró mientras se servía un vaso de vino. Tenía miedo de acercarse y que ella le pidiera marcharse, como otras veces había hecho. Francisca se sentó en un viejo sillón de mimbre sorbiendo su vino con una expresión tranquila en su rostro. Él no supo qué hacer, pero ya ella lo alentó, invitándolo a sentarse. Pudo apreciar su cara sombría.

—Me voy de viaje. —Su voz no se quebró. Ella lo amaba, pero sabía que no debían verse más, estaba segura. El amor sin respeto es una sombra.

Momentos después, al dirigirse al dormitorio, la escuchó hablar por teléfono.

Andrés se quedó atento, esperando un gesto que nunca llegó. Se despidió como pudo y salió.

Los días en Oaxaca pasaron apaciblemente. Salían por la mañana, *Picasso* iba a reuniones para preparar su exposición, Francisca visitaba organizaciones locales de mujeres, con las que había trabajado en el pasado. Fue grato reencontrarse con ellas y ver cómo habían evolucionado de víctimas a animadoras de grupos u oradoras en eventos públicos. Escuchó de nuevo las historias que cargan en el sur del país, la violencia sin medida, la preocupación por las niñas al entrar a la adolescencia, las heridas de la migración al norte, la lucha por buscar soluciones y no encontrarlas y seguir. Ese era el mundo en el que se movía. Cruel, perverso.

Al mediodía se encontraban para la comida, que se extendía hasta entrada la tarde y finalizaban con un café, antes de salir a caminar por la ciudad. La primera noche que le acompañó a un evento público, iba arreglada con un bello traje de tehuana, de sencillos calados en los bordes del huipil de falda larga, y en la cintura un fajón con flores de fuertes colores. El cabello lo llevaba recogido en dos trenzas alrededor de su cabeza, tal como Itzel le hacía de niña, adornándolo con un listón morado. Al bajar al *lobby* del hostal donde se hospedaban, el pintor se puso de pie para admirarla. Sus mejillas se colorearon cuando él le alabó el traje y la forma como lo llevaba.

Ella se acercó y tomó su mano extendida. Salieron a la calle y subieron al taxi que esperaba en las afueras del local. Durante el viaje Francisca siguió las luces de esa ciudad que tanto amaba. Llegaron al Museo de Arte Prehispánico.

Cuando entraron, *Picasso* le pasó la mano por su brazo. El local era una magnífica y antigua edificación devenida en museo y centro cultural. Tenía varios salones, pero la actividad se realizaría al aire libre, en el amplio patio central circundado por columnas de madera. Al verles, un par de jóvenes se acercaron pidiéndole un autógrafo en uno de los volantes donde se invitaba a la exposición. Francisca aprovechó para liberar su mano y caminar sola en dirección a uno de los pasillos, donde había personas haciendo los últimos arreglos.

Admiró la arquitectura y las pinturas, los trajes, no podía dejar de asombrarse siempre con los bailes, escuchar la música, saborear las comidas, reconocer el trabajo de los artesanos, la elaboración de alebrijes —figuras fantasiosas de vibrantes colores, salidas del sueño de un artista oaxaque-ño—. Llegó al final del corredor donde, en un mostrador, se exhibían de-cenas de esas figuras y ahí le alcanzó el pintor.

—¿Qué piensas?

—Estaba admirando el trabajo de los artesanos, siempre me siguen sorprendiendo. —La acompañó mientras preguntaba por las figuras y escu-chaba las explicaciones de los símbolos de cada una. Al final, compró dos que imitaban lobos con cuerpo de ovejas.

—Una mezcla extraña y contradictoria, pero hermosa —dijo él.

Al cabo de media hora de espera, ya el patio estaba completamen-te lleno.

—Vamos a empezar —dijo uno de los organizadores. Las autorida-des culturales de la ciudad, dieron inicio presentando al artista. El pintor habló sobre la obra, relataba la historia de amor entre un hombre mayor y una jovencita, con la que se había fugado cuando ella solo tenía dieciséis años. A su muerte, la joven le sobreviviría cuarenta años más. *Me envolverán las sombras,* era el cuadro que le hacía honor a la poetisa yucateca Rosario Sansores Pren, y mostraba las historias familiares mezclada con la compleja vida política del país desde inicios del siglo veinte. La jovencita y el hombre mayor de la historia eran Mario, su abuelo, y Esperanza, su abuela.

Al final de la presentación tuvo un intercambio con jóvenes pintores y público de la ciudad. Los anfitriones les invitaron a cenar y no tuvieron más remedio que aceptar. A las once de la noche dándose por terminada la cena, se despidieron del resto de asistentes y salieron a la calle a buscar un taxi.

—¿No prefieres caminar un rato?

Sin responder, Francisca comenzó a caminar y sus pasos les llevaron en dirección al hostal, a unas ocho cuadras del centro de la ciudad. Se sen-tía un poco mareada por los mezcales antes de la cena, y le tomó del brazo. Él puso su mano sobre la suya y siguieron caminando en silencio.

De pronto, él se detuvo y tomó su rostro con ambas manos.

Ella se ruborizó, "herencia de mi madre esta piel blanca que no me deja mentir", pensó.

Él se acercó para darle un beso, y ella aceptó abriendo sus labios. En la penumbra de la esquina se abrazaron y besaron. Al separarse, ambos parecían aturdidos por la novedad, no sabían dónde dejar sus manos. Ella retomó el camino poniendo su mano sobre el brazo de él, conversando sobre el tipo de público que había asistido el evento. Cualquier excusa era buena para salir del momento en que habían entrado, sin posibilidades de retorno. Al llegar a la puerta del hostal, cerrada a esa hora, se dieron un nuevo beso, ahora suave.

Entraron después de que el portero de noche les abriera y caminaron juntos por el corredor. Al registrarse en el hostal, ella había tomado la iniciativa de pedir dos habitaciones y él estuvo de acuerdo. Llegaron juntos a la habitación de Francisca, abrió la puerta, entró sin despedirse y sin cerrar. Él entró detrás de ella y cerró la puerta a sus espaldas. Hacía tiempo que su corazón no se azotaba como ahora. Su cuerpo estaba expectante y ansioso, no importaba lo que pasara mañana. Le tomó su rostro viéndole como si fuese la primera vez, lo besó suavemente los labios y acercó su mejilla a la mejilla barbada, él la separó, la miró y empezó a acariciar sus pechos sobre el blanco huipil.

De un tirón se sacó la falda cayendo al suelo en forma de un perfecto círculo. Él le siguió acariciando los pechos y se agachó a besar sus piernas. Ella metió sus manos en su cabello y musitó: *Picasso*. Tomó su rostro dirigiéndolo hacia su pubis. Las manos gruesas fueron recorriendo su cuerpo. Ella haló su cinturón al mismo tiempo que le devolvía las caricias y le sacaba la ropa. El deseo ya era irrefrenable y ambos se abandonaron. Supo entonces que hacía rato lo deseaba, que el contacto de sus manos con su piel la estaba llevando a una asombrosa dimensión de placer, y su cuerpo iba atravesando todos los muros erigidos alguna vez.

Pensó en Andrés y rápidamente lo desechó con un movimiento de cabeza. Estaba decidida a volcarse al momento que vivía con este hombre, recibiéndolo y disfrutando su excitación.

Después durmió como si nunca hubiese conocido pesadillas. Al despertar se descubrió recostada con su cabeza sobre su pecho ancho, lleno de vellos revueltos como sus cabellos. Su rostro barbado se acercó al rostro de ella, pasándole su aliento de los últimos mezcales. A ella le gustó ese olor agreste y pesado y le dio un beso. Se levantó después, arrastrando consigo la sábana mientras él se divertía al verse desnudo frente a ella.

—Vuelve —le pidió en un susurro.

Esa fue la primera de las cinco noches que pasaron juntos. Todo se dio natural, como si no se necesitaran palabras, ni preguntas, ni respuestas. La conexión física había sido inmediata. Y le sorprendió ese disfrute en ausencia del dolor. Fueron semanas de expectativas, de espera. Se fueron dos días a Huatulco, se bañaron desnudos en las aguas de esas playas cálidas, se amaron bajo las estrellas sin pudor, sin restricción, sin pasado.

Oaxaca quedaría marcado entre ellos.

Al regreso del viaje, Francisca agradeció no encontrar a Andrés en la casa. Sintió alivio también cuando vio que, finalmente y después de meses de insistencias, su lado del armario lucía completamente vacío. Ahora no sentiría sus manos en sus brazos intentando someterla en la pasión, ni el sudor cayendo en su pecho, ni los colores o rasguños que dejaban sus ardientes noches.

Le gustaba la nueva ella.

26. REENCUENTRO

Un año duró la burbuja con *Picasso*. Un año agitado entre sus viajes y el ajetreo de los juicios de Francisca. Vivieron sin hablar del futuro. Lo hicieron sin compartir lo cotidiano, ni armar espacios comunes. Él tenía ropa y complementos que le permitían quedarse a dormir en casa de ella. Ella podía quedarse en la casa de él, sabiendo que en su armario encontraría algunas blusas, faldas y un cepillo dental.

Tuvieron tiempos buenos o algo parecido a la felicidad. Se convencieron de que era la mejor manera de hacerlo. Sin el compromiso del día después, buscando como queriendo eternizarse sin saber si sería posible.

Al cabo de ese año, supo que estaba al lado de un hombre que quería amar, pero no lo lograba. Él había pasado a ser muy importante en su vida y siempre lo sería, pero el final les estaba alcanzando. Andrés seguía al lado de Francisca, ocupando sus espacios y sus emociones. No podía vivir así con nadie, menos con *Picasso*. A él siempre se le complicó entender cómo ella, tan segura, tan independiente, podía seguir amando a alguien que le había causado tanto dolor. Francisca misma tampoco lo comprendía. Era más fuerte que ella.

Picasso había terminado su última obra en México, su proyecto más buscado, una serie de lienzos que retrataban la violencia sufrida por mujeres centroamericanas migrantes. Ahora, debía iniciar una gira por Europa. Le pidió ir juntos, pero Francisca sintió que debía quedarse. O tal vez porque supo que era el momento de separarse.

Al salir de la casa se dieron un beso largo y se abrazaron.

—Te quiero mucho pintor, nos vemos en una hora. —Él asintió y la vio salir.

Tomó su auto y subió al segundo piso del periférico, peleando con los demás conductores que intentaban llegar a algún destino. Puso su lista de Queen y subió el volumen a la voz en falsete de Mercury … *love of my life, you've hurt me, you've broken my heart and now you leave me* … que siempre le provocaba excitación. Abrió la botella de agua y se la llevó a la boca, sorbiendo un trago de agua tibia.

—¡Puaj! Otra vez me olvidé de bajarla —dijo enojada, como si alguien la escuchara.

A lo lejos, el *smog* seguía adornando los techos de la ciudad, la neblina se confundía con su tristeza. Nunca entendió por qué a la ciudad aún le decían "La ciudad de los palacios". Recuerdos de mejores épocas. Pero la amaba, aún y con todo su tinglado y locura. Miró a la derecha tratando de admirar sus queridos volcanes, Popo e Izta, pero el manto gris no los dejaba ver. Adelantó al menos a cuatro autos con velocidad de aprendices, y se puso atenta a las señales para bajar en la avenida Reforma. Maniobró rápidamente cuando vio los rótulos casi sobre su cabeza.

Tomó a la derecha para salir del periférico, y se unió al resto de autos que querían alcanzar el centro de la ciudad. Francisca subió el volumen de la música, hasta apagar las voces que vivían en su cabeza. El coche dio dos tumbos y se aferró fuertemente al volante. Había perdido la noción del momento. Ya Mercury se había despedido con suaves tonos y su lugar había sido ocupado por Sinatra.

—*I did it my way* —sonaba casi burlonamente.

Dobló en la callecita del estacionamiento y dejó el auto. Salió a la calle, cruzó el parque y entró a la *Cafebrería*. Libros y café, la mezcla perfecta. Le gustaba estar rodeada de libros, se sentía acompañada. Compró dos y buscó una mesa.

Abrió el bolso para ver los que recién había comprado y el que estaba leyendo. En *Tres veces al amanecer*, Baricco contaba las imposibilidades del amor. Dos mismas personas, tres tiempos distintos imposibles de juntar. También sacó una libreta donde registraba sus notas. Los puso sobre la mesa junto al celular. Un joven mesero se acercó y le preguntó si quería ordenar. Pidió un capuchino y abrió el libro. De cuando en cuando iba a este otro lado de la ciudad. Justo ahora tenía buena excusa, ya que el pintor debía firmar su contrato antes del viaje y la oficina estaba cerca de ahí, en la Avenida Horacio.

La *Cafebrería* era una de las librerías más lindas de la ciudad. Los techos altos y la estructura metálica expuesta le daban un toque moderno, junto a un estilo tradicional. Su diseño ecléctico y luminoso, que se abría al cielo, era un monumento a la literatura. Dentro, los estantes de doble altura se mostraban de piso a techo, donde se podía ver y tomar cualquier libro y disfrutarlo en el local. Una gran araña de luz sobresalía en el salón principal, y sus cristales emitían tal brillo como si estuviera encendida. En el centro se lucía una escalera de caracol, como en los viejos edificios. En el segundo nivel, los pisos de madera anunciaban la reminiscencia de una librería antigua. Era como un salón gótico donde se esperaría ver aparecer a algún anciano guardián de libros. Y lo mejor era el aroma a libros y café que inundaba el local. Nunca se cansaba de la emoción de abrirlos y sentir ese olor a papel con conocimiento.

Vio a una pareja hablando bajito en una mesa al fondo del salón. Francisca les tuvo envidia y sacudió la cabeza, barriendo sus emociones.

De repente, sintió el peso de una mirada detrás suyo y no pudo evitar sobresaltarse y voltear. En la entrada del local, Andrés la observaba fijamente y no dejó de verla a pesar de descubrirla también mirándolo. La saludó de lejos con la mano al aire. Tenía el rostro pálido y parecía cansado. Antes de que bajara la mano, detrás de él apareció Gabriela, quien, tomándolo del brazo con mucha familiaridad, lo condujo adentro del salón. Escogieron una mesa retirada y pidieron algo de tomar.

"Tan grande esta ciudad y venir a encontrarles aquí", pensó con desgano. ¿Cómo pasaba el tiempo sin sentirlo? Desde hacía casi un año no lo había visto.

Le provocó un poco de desazón que la vieran sola y se imaginaran cosas.

"¿Y qué le importaba a ella lo que se estaba imaginando, o si estaba ahí con Gabriela?" —intentó volver al libro, pero ya la lectura no era lo mismo. Las letras parecían alejarse de sus páginas, las historias y sus personajes se desdoblaban y ella no podía concentrarse. Tampoco podía moverse porque se habían sentado en una mesa cerca de la puerta de salida. Debía calmarse y esperar a que llegara *Picasso*. Insistió con su lectura y trató de olvidarse de ellos.

Picasso la sacó de sus pensamientos, se acercó y le dio un beso en la mejilla. Ella sintió la sangre en su rostro. Pidieron un par de copas de vino blanco, brindaron. Andrés no sabía que ahí se estaban despidiendo.

—Nos veremos a tu regreso —dijo ella. Sus últimas copas de vino, sus últimas risas. Tres días después él tomaría el avión a París y no regresaría sino pasados varios meses. Pero ya su vida sería completamente distinta. ¡Si tan solo pudiéramos enamorarnos de quien nos hace bien, qué distintas serían nuestras vidas!

Francisca buscó con la mirada a Andrés, pero él ya había salido.

27. CON ELLA SE ME VA LA VIDA

Recién amanecía cuando Francisca escuchó el timbre y a continuación dos desesperados golpes en la vieja aldaba con cara de león, herencia de La Esperanza, colocada por Andrés en mejores tiempos. El ruido pareció retumbar en toda la casa. Su cuerpo se sacudió y empezó a sudar. Las premoniciones, las que aparecían en los peores momentos, sustituyeron sus pensamientos. Mientras estuvo con *Picasso*, habían desaparecido totalmente los sobresaltos del cuerpo, pero al despedirse le volvieron. Lo extrañaba.

Casi corrió en medio del patio queriendo alcanzar la puerta. Tenía una hora atareada en el jardín, buscando como recuperar los colores que se habían escapado hacía tiempo. Traía los guantes puestos, una pequeña pala en la mano, con la que había estado preparando la tierra para la nueva siembra y unas tijeras colgando de su viejo delantal. Vestía un viejo buzo de mezclilla y estaba manchada de tierra en rodillas y codos.

Sonó de nuevo el aldabón cuando Francisca llegó a la puerta. No podía ser Mari, la chica que le ayudaba en casa, porque ella tenía llave. Aún no llegaba de comprar el pan, era muy temprano. Abrió la puertecita superior del viejo portón para encontrar detrás de la cruz de hierro a Itzán, el hermano de Itzel.

Sorprendida aún más, abrió la puerta dejándolo entrar. Las premoniciones con el dolor en sus huesos ya eran evidentes.

—Entra, Itzán, ¿qué pasó? —le preguntó, casi sabiendo la respuesta.

—Es Itzel.

Los escalofríos recorrieron su cuerpo como si fuesen descargas eléctricas. Le dio un abrazo y lo llevó a la casa. Se sentó. Itzán se dejó caer en un sillón frente a ella, totalmente abatido.

—¿Qué pasó? Por favor dime.

Itzán dijo: —Itzel está en el hospital.

—¿Qué pasó? ¿Cómo?

—Vine ayer a una reunión y debía regresarme hoy por la mañana. Esta madrugada me llamaron … una emboscada cerca del pueblo … Itzel iba con un grupo de mujeres al centro de capacitación de la montaña, ¿te acuerdas? Donde estuvimos la última vez … cerca de ahí … nadie sabe quiénes fueron … ¡ay, Francisca! … también las otras muchachas están heridas. Dorotea estaba en el Centro, no viajó con ellas.

Francisca se levantó impulsada por un reflejo casi animal, rabia, impotencia.

—Claro, vamos …vamos, déjame tomar algo de ropa y salimos.

Entró a su habitación. Puso un par de blusas y un pantalón en una mochila, se cambió de ropa en el baño, tomó el bolsito de viaje y regresó al salón. Juntos salieron a la calle, casi tropezándose con Mari. Le dijo rápido lo que había pasado, pidiéndole se quedara en la casa y si alguien llamaba no diera más información de la necesaria, solo que estaría fuera y no sabía cuándo regresaría.

—Claro, señora Francisca, no se preocupe, aquí me quedaré. Por favor dele mis saludos a la señora Itzel, ojalá no sea nada grave.

Así pensaba Francisca, ojalá que no fuera nada grave, pero se estaba preparando para lo peor. A estas alturas ya la sangre en su cuerpo se movía a toda velocidad, las sospechas se le vinieron de frente, creía que no la encontraría viva.

Subieron al coche saliendo rápido en dirección al sur. Después de media hora en el tráfico de la capital, finalmente alcanzaron la carretera y tomaron camino a Guerrero. Ella, la no creyente, se encontró de pronto pidiéndole por Itzel a la diosa Tonantzin, a quien ella acudiría en momentos de necesidad, como ahora. O a la Lupita, la Virgen Morena, la que llevaron para sustituir a la diosa indígena, —el mayor invento de la cristiandad —decía Andrés. No importaba a cuál, si solo pudieran ayudarle a Itzel, si le llevaran alivio.

El auto recorría los kilómetros que faltaban para llegar, y ella seguía enredada en sus pensamientos, su corazón iba a un ritmo trepidante, sonoro, impetuoso, que casi ni recordaba a Itzán sentado a su lado. Sabía los riesgos a los que se enfrentaba Itzel en su trabajo con las niñas, tenía muchos enemigos. Se había convertido en un peligro para el dominio de los señores en las comunidades. Lo habían hablado muchas veces, y sin embargo contuvo su miedo y no se detuvo.

Itzán y Francisca seguían callados, uno al lado de la otra, como la última vez que subieron a la montaña. Esos viajes que años atrás habían sido primero una aventura juvenil, y después de sanación, hoy se convertía en uno de dolor. Ahora ya no miraba los campos cultivados, ni los pueblos ruinosos, los barrios recientes o los restaurantes a la orilla del camino, ni los rótulos invitando a entrar. Francisca no veía nada, no quería pensar, no quería creer que no vería más a Itzel. Se imaginaba que si hablaba ahora no tendría tiempo para hablar después.

Finalmente llegaron a San Miguel y se dirigieron rápidamente al hospital. Estacionó y bajaron casi corriendo para encontrar frente a ellos a una Dorotea llorosa y un oficial de la Policía.

—No pueden entrar ahora, está el doctor y los policías. Deben esperar.

Se sentía frustrada, tanto tiempo y tantos kilómetros manejando y ahora tener que esperar. Después de una larga hora y dos tazas de café, salió un médico joven.

—¿La señora Francisca Izaguirre?

—Soy yo —dijo, levantándose rápido y apretando la cartera contra su pecho.

—Pase, quiere hablar con usted. —Francisca volteó a ver a Dorotea e Itzán, quien le hizo una señal con los ojos, como indicándole que solo debía ir ella. El médico la escoltó a la puerta del cuarto, abrió suavemente y entró en una tenue penumbra. Uno de los policías aún permanecía en la habitación.

Itzel, conectada a varios aparatos, tubos y cables, parecía aprisionada en ese cuerpo empequeñecido, se miraba pálida y tan frágil en esa cama. Respiraba suavemente amarrada al respirador que la mantenía atada a la vida. Sintió un dolor profundo subiéndole por el pecho y la ira apretándole las sienes. —¿Qué te hicieron Itzel? —preguntó en un susurro sin esperar respuesta, acercándose a ella, le tomó y besó la mano, y de sus ojos quisieron salir lágrimas que no dejó correr. Quería contener sus emociones, su miedo y dolor, para mostrarse fuerte frente a ella.

—Quédate quieta, no hables, te vas a mejorar. Descansa, descansa. Tal vez si cierras los ojos … — le dijo, y quería creer que sería así.

—No, mi niña —contestó Itzel con una voz quedita. Su rostro mostraba sufrimiento, su ceño fruncido desdibujaba sus facciones morenas, pero sus ojos seguían vivos, alerta— sabes que no, esto es todo. *Gannu' cou'ni'*. Sábelo de una vez. Ganaron, ellos ganaron. No dejes a Itzán, él no sabe vivir solo, te va a necesitar mucho. Ayúdalo. Y las niñas, ¿cómo están? ¿Qué pasó con ellas? Por favor ayúdales …*Gucanee lácabe* … —Itzel jadeaba, se estaba muriendo.

—¿Qué pasó? —preguntó sin soltar la mano de Itzel. El policía que había estado callado todo el tiempo se acercó y relató lo que había podido obtener de las primeras indagaciones.

Venían del entrenamiento de las nuevas promotoras. Al pasar por el último puente antes de llegar al pueblo, Itzel, que iba delante en la camioneta, sintió un fuerte golpe en su espalda, se sobresaltó porque iba medio dormida, pero pudo apreciar como la camioneta perdía el rumbo y daba vueltas en el camino. El auto se estrelló contra un árbol y Eusebio, en el sitio del conductor, salió impulsado hacia delante y quedó doblado sobre el volante. Itzel volteó a la izquierda y lo miró con la mitad del cuerpo encima del capó. Quiso ponerle la mano en la espalda, pero un dolor le desgarraba el cuerpo y no se pudo mover. Su falda estaba ensangrentada y no tenía noción de lo que había pasado. Se oyeron gritos. Itzel después había caído en un sopor, y cuando despertó los gritos eran aún más fuertes, las sirenas, las voces de gente dando órdenes, una algarabía de terror. Le costó entender.

Itzel se movió indicándole a Francisca que se acercara.

—Ahí vi a Marcelino, Francisca, te lo juro. Me vino a buscar, entre la neblina y el humo me abrió la puerta, quitó mi cinturón y me sacó del auto. Marcelino, estás vivo, le dije yo. Me besó y me dijo que no me preocupara.

Francisca no podía creerlo, Itzel llamaba a su esposo muerto hacía tanto tiempo. Recordó los años de lecciones sobre la muerte y su aceptación natural. Esa capacidad de dejarse ir cuando ha llegado el momento, no creía poder hacerlo ahora. Siguió escuchando el relato de su encuentro con Marcelino y la paz traída a su maltratado cuerpo y casi veía las escenas que narraba. Itzel se mostraba inquieta, pero parecía tan segura de lo que decía que Francisca no podía, ni quería, dudar de sus palabras.

—Pronto llegaron refuerzos —continuó diciendo el policía, Itzel seguía con los ojos cerrados y Francisca acariciaba sus manos—, las sacaron de los vehículos, hicieron las primeras curaciones y las trajeron al hospital. Las otras chicas están en sala de recuperación.

—¿Quien la sacó del auto? —preguntó mirando al oficial.

—Fue uno de los jóvenes policías, de los primeros en llegar. Está ahí afuera por si quiere hablar con él.

—Debes llevarte a las chicas al centro, las van a matar si se quedan aquí, promete que te las llevarás —se le iba la voz a Itzel—. Nos buscaban a nosotras, dijeron nuestros nombres, mi nombre, dijeron que no me podían dejar viva, ya me habían advertido. —Francisca la miraba sin creer lo que vivían ahora.

Eran cuatro chicas viajando con ella al momento del ataque. Formándose como promotoras contra la violencia. Todas venían de experiencias traumáticas. Francisca contenía las lágrimas, viendo cómo poco a poco se apagaba Itzel, hasta que finalmente cerró los ojos. Francisca le besó la mano. El médico entró y le pidió se apartara de la cama. Debían llevarla a una nueva operación, las heridas eran graves. Asintió, le acarició el rostro a Itzel y le dijo que la esperaría ahí mismo. Salieron de la habitación.

Mirando a través de la ventana que daba a un pequeño patio interior, se sentía perdida en ese silencio apabullante. Las montañas se reflejaban a través del vidrio. Tantas veces las subió Itzel y no volvería más. El día era gris, colores de dolor. Itzel siempre quiso terminar ahí, cerca de su amado, repetía que quería estar lo más cerca posible de los árboles, ser transportada entre sus raíces, susurrando a la Madre Tierra que su hija volvía a ella. Tantas veces había desaprobado todo tipo de ceremonial tradicional ajeno a sus creencias. Francisca sacudió la cabeza, queriendo ahuyentar los malos presentimientos. No era momento para pensar en eso ahora. Pero pasaba el tiempo y no salían de la operación.

Habían transcurrido tres horas cuando volvieron. Itzel se veía más pálida, más débil, siempre rodeada de esos aparatos ajenos a ella. La noche fue un permanente entrar y salir de médicos y enfermeras que vigilaban su suave y dificultosa respiración.

— ¿La señora Francisca? —despertó al escuchar su nombre y vio al médico con un formulario sobre una pequeña tabla. Miró su reloj, las 6.15 de la mañana. Se levantó del sillón donde recién se había dormido y salieron de la habitación.

— ¿Es usted pariente de la señora?

—Sí, soy su hija — dijo segura en su aseveración.

—Bueno, entonces debe firmar aquí. Tenemos que hacerle unas pruebas a la señora.

Francisca le pidió unos minutos y regresó al cuarto. Las cortinas seguían cerradas, al fondo la cama rodeada de aparatos y el *bip bip bip*. Se acercó y miró a Itzel que había despertado, le dio un beso y se agachó hacia ella, hablaron un par de minutos y salió de nuevo.

Buscó al médico y le anunció:

—No, ella no quiere más pruebas. Quiere estar tranquila, ya sabe que no hay remedio.

El médico le explicó las consecuencias de esta decisión y Francisca le aseguró que era lo que querían. Firmó y regresó junto a la cama donde yacía Itzel. A un lado estaba Itzán, a sus pies Dorotea, que habían entrado al llegar el médico. Tomaron sus manos y esperaron junto a ella, hasta exhalar su último suspiro. La abrazaron. Itzán, con un llanto silencioso, y Dorotea, salieron de la habitación.

Francisca se quedó quieta, sola como había llegado al mundo, sin la madre, sin Itzel, sola. Pasaron sus memorias como signos fugaces, recuerdos de historias no vividas con ella, lamentando su ausencia ahora más que nunca. Había sido la madre que no tuvo, y la madre que ahora la dejaba. Sola de nuevo.

Maldecía su suerte. Volvía a quedar huérfana. Se imaginó a la madre al momento de su nacimiento, pensando que no la vería crecer, la maldita enfermedad que la mataba. Y la maldita sociedad que ahora mataba a Itzel. Como a las otras mujeres. El odio más vivo, como nunca. ¡Cómo las extrañaba a las dos! Lloró en silencio.

"Sentir nuevamente la vida y la muerte en un solo ovillo, pugnando por querer salir de mis pensamientos, usar mi garganta. Queriendo salir de mi boca. Mis labios resecos invitan a la lengua a moverse, rodearlos nuevamente y sentir las pequeñas heridas que me cruzan y las mejillas que me calcinan y me hacen recordar los últimos besos que recibí y que ya nunca más serán míos".

Al salir de la habitación llamó a Andrés. Él le dijo que saldría inmediatamente para allá, quería acompañarla. Francisca le aseguró estar serena, y que prefería estar sola con Itzán y la familia, sus amigas llegarían en un par de horas, ya lo llamaría cuando regresara a la capital, se quedaría un mes más en el pueblo.

Colgó, e inmediatamente llamó al pintor, quien se alarmó con la noticia. Él volvería en un par de meses a México, pero adelantaría el viaje si fuese necesario. Francisca también declinó su ofrecimiento, que estaba tranquila, le dijo. Se despidió y se dejó caer en una de las sillas de la sala de espera viendo fijamente a la pared, intentando no llorar. Itzán se acercó y la abrazó.

—Vamos a casa, tenemos mucho por hacer. —Francisca lo miró, sonrió tristemente y asintió. Salieron del hospital.

Horas después, en la casa, comenzó la preparación de las ceremonias en su honor. En medio del dolor y la impotencia, su compromiso era cumplir con lo que ella les había encomendado. Reencontrarla con sus propios padres y la abuela, su amado Marcelino, la señora Julieta, Esperanza y Carlos. Debían llevarla al pequeño cementerio de la montaña entre los árboles elegidos. Ahí pinos, encinos y ocotes la recibirían.

Prepararon todo como en los viajes anteriores. Decenas de jovencitas llegaron a la casa ofreciendo ayuda, se veían caras largas, tristes, ahora abandonadas, huérfanas. Como ella misma. Pero Francisca no quería tristezas, debían recordarla con alegría, con el entusiasmo que ella siempre tuvo.

Les daba la bienvenida un cuadro con su foto, una Itzel sonriente, sus trenzas y sus cintas moradas en el cabello, y el marco rodeado de flores. Francisca se sentó en una silla baja.

Los pensamientos se agolparon en ella.

"Madre morena, Nñia', madre blanca, ahora caminan juntas, ambas sabrán qué hacer conmigo … la que me dio vida y la que me dio raíces … aquí estoy, Itzel, madre raíz. Madre blanca, dame la paz, madre morena, con tu muerte dame la fuerza, ambas pueden guiarme para entender lo que debo hacer."

Al mediodía comenzaron a caminar. El cortejo iba seguido por las vecinas, las amigas y las promotoras. Las chicas, como les decía ella, cargaban flores, y uno que otro hombre, animado al ver la multitud concentrada enfrente de su casa, se había acercado. Llegaron enormes ramos de flores de la capital del estado y de Ciudad de México.

Se repetían historias y teorías del ataque al auto en que iban. Que fueron quince hombres, o solo un atacante, que eran bandas que venían de fuera. Se dijeron tantas cosas. Ella tenía sospechas, sabía que había poderosos involucrados.

Al regresar de la montaña y dejar a Itzel, empezó a ocuparse de los asuntos legales. Itzán no tenía cabeza para nada. Lloraba todo el día, se refugiaba en cualquier rincón y no quería saber de ninguna cosa. Francisca tomó el control, no tenía muchas esperanzas de los resultados de la investigación del ataque, pero se lo debía a Itzel. No la derrotarían. Menos ahora.

Despachó todos los pendientes. Reubicó temporalmente a las chicas protegidas de Itzel en otros centros, tal como ella se lo pidió. Las cuatro sobrevivientes del ataque se irían a México con ella. Florence y Nitza habían regresado a la capital y tenían todo organizado. Ella no dejaría morir su sueño.

Empacaron sus ropas para llevarlas al centro, a excepción del traje que usó en su boda, heredado a Francisca. Ella misma lo había elaborado secretamente durante un mes, por las noches, cuando todos dormían. Francisca lo dobló y lo colocó cuidadosamente en una caja junto a las cintas de colores y su historia.

El día antes de partir, subió a la montaña con Itzán, quería despedirse de ella. Frente a las montañas, le habló:

—Ya está todo listo, aquí estamos frente a ti, madre. Te prometo que tu lucha no ha sido en vano. Tú quisiste correr ese riesgo, ahora vamos a buscar justicia. Dudo del sistema corrupto en el que nos movemos, pero tenemos que hacerlo. Te extrañaré siempre. Al irte, contigo se me fue la vida. Fuiste la única madre que conocí, la verdadera.

La montaña le devolvió sus palabras y sus gestos con la espesa neblina que venía envolviéndoles al despedirse. Era un último abrazo que Itzel les daba con lo que más amaba. Bajaron dos horas después, tomados del brazo, tranquilos, serenos.

28. TIEMPO PARA DESPUÉS

La muerte de Itzel la dejó agotada emocionalmente, pero le dio certezas para saber cómo debía continuar. Después de un mes en la sierra volvió a Coyoacán. Todos los centros continuarían sus compromisos, no cederían a las presiones. Debía retomar los proyectos, sus casos. Sumergirse en el trabajo siempre era bueno para dejar atrás los dolores.

En el viaje de regreso, con los volcanes frente a ella, pensó en la habilidad de los sueños para evaporarse. Les saludó en silencio: "salve, viejo Popo, cuida a tu Izta". Estaba segura de que, como en el mito de los dos volcanes, el amor solo podía mantenerse cuando ambos están muertos y pasar a ser historias narradas una y otra vez por los cientos de personas que desfilan frente a ellos o se atreven a escalarlos.

Al llegar al Centro, Francisca recordó, como si fuese una película, aquel lejano día cuando vio entrar a Fania, llevando de la mano a sus tres niños. —He tratado de hacer todo bien doctora, ¿por qué me pasa esto a mí? —le dijo un día. Y ella no tenía respuestas certeras, ni para Fania ni para sí misma. Ahora se proyectaban las vidas de estas jóvenes, casi niñas, atemorizadas, con sus grandes ojos abiertos, aun procesando lo que habían pasado. Nunca podría acostumbrarse a estos dolores, nunca entendería por qué tanta maldad, o por qué, si existía un ser superior, permitía que vivieran ese horror. No, no era posible. La derrumbaba una sensación dolorosa de tristeza.

Meses después y a pesar de sus aprehensiones, la investigación del ataque iba avanzando. Era una banda secuestradora de niñas operando al sur de Guerrero. Itzel se había convertido para ellos en un problema que debían eliminar. Ya habían capturado a uno de los responsables y dos más andaban huyendo, pero los jefes eran invisibles. Nadie quería dar cuenta de ellos. Los casos judiciales de las muchachas iban muy avanzados y ahora con esto, parecía que las autoridades estaban interesadas en resolverlo. Querían pasarlos pronto a los juzgados. Tambien habían detenido al padrastro y a un amigo de la familia de una de las niñas, conectados a las bandas del sur. Violación, maltrato físico y trata de personas eran parte de las acusaciones. Francisca había preferido no participar del caso, no podría tener ecuanimidad. Florence y Nitza se hacían cargo.

Les pidió que se reunieran un momento antes de partir al juicio de ese día. Ellas sabían lo que les pediría y se mostraron dispuestas a hacerlo. A partir del lunes, el Centro pasaría a llamarse Itzel García - Danee nou' na'. "Dame tu mano", en idioma zapoteco. Se honraría la vida de Itzel.

Al terminar, la convencieron de irse a casa.

—Nosotras nos encargamos, necesitas irte de acá al menos por un tiempo.

Aceptó tranquilamente y después de una emocionada despedida, salió. Tenía muchos deseos de llorar, se sentía derrotada, sola, había perdido a Itzel y todo lo que ella representaba y no había tenido tiempo de vivir su duelo. Y no quería llorar más, al menos no por ahora.

Al llegar a casa, dejó todo sobre el escritorio, tomó una ducha, se puso un jean, un suéter blanco liviano y unas zapatillas, y salió. Caminar siempre le hacía bien. Anduvo más de una hora, sintiendo las piedras de las calles, tocando cada árbol, aspirando cada olor, queriendo encontrar a Itzel de nuevo en el mercado de frutas. Se quedó largo rato sentada en una banca del parque, viendo sin fijarse, en los mimos, que, en el silencio, mostraban sentimientos que las palabras no pueden describir, a los niños en sus juegos inocentes, a los vendedores callejeros ofreciendo dulces y algodón de azúcar y a los monjes budistas que intentaban convencer a los transeúntes de vivir una vida más espiritual. Todo lo que antes le provocaba placer, hoy solo eran memorias de una vida pasada.

Picasso fue el primero en buscarla. Al verlo entrar sintió una oleada de paz, se acercó y se abrazaron. Lo llevó al bar, tomó una botella de vino, dos vasos y salieron a la terraza. Se descargó con él, de los días de dolor, rabia y silencio. Le compartió sus dudas. Él le acarició el rostro y ella pudo llorar. Le dijo como le había afectado su ausencia en esos meses. Le compartió que, a pesar del miedo, seguiría con los nuevos proyectos de los centros. Él recibió todo lo que ella le quiso dar. Hasta los abrazos. Los besos. Esa noche se quedaron juntos y se amaron como en Oaxaca.

Los días pasaban y Francisca sabía que debía enfrentar a Andrés. No podía aplazarlo más. La había llamado insistentemente y ella, de manera firme, tuvo siempre la misma respuesta:

—Dame tiempo, te llamaré yo.

Tomaba el teléfono, lo miraba largo rato y lo ponía de regreso en la mesa en numerosas ocasiones, hasta decidirse a hacer la llamada.

—Te quiero ver ahora —le dijo y sin esperar respuesta, colgó el teléfono. Andrés se sorprendió al oír su voz apagada y triste. Quiso preguntarle algo, pero ya el teléfono se había silenciado.

Salió de la oficina.

Al llegar a casa vio la puerta antigua con el aldabón y recordó el día que lo colocaron. Estaba labrada detalladamente con figuras que contaban una historia, pero ahora no la recordaba. Dio cuatro golpes sonoros y minutos después Mari salió a abrir.

—¿La señora Francisca?

A pesar de que guardaba sus llaves, no las usaba. Recorrió el hermoso patio del frente, reconociendo las plantas, las flores y las pequeñas estrellas y lunas que adornaban la pared verde y rosa fuerte, como ella quería. Cruzó la siguiente puerta.

—Le espera en el jardín del fondo.

Andrés puso su mochila en un sillón, desde un tiempo atrás la llevaba como escudo para protegerse de las emociones, y se dirigió al patio. Ese jardín, su jardín, testigo de sus enamoramientos, de su vida juntos, las buganvilias, los jazmines en flor, los cientos de insectos subiendo y bajando, los brindis en copas nuevas, sus pláticas, sus discusiones arrebatadas, sus memorias. Se sentía sorprendido y algo apabullado por la luminosidad de la vegetación, el verde mezclado con cientos de colores de las múltiples macetas. Se sentía inseguro y ciertamente como un desconocido en ese lugar que le era tan familia, tan íntimo.

Francisca mostraba una palidez y tristeza profunda. Se levantó al verle llegar y le saludó con un beso en la mejilla. Le sirvió una copa de la botella de vino abierto y le invitó, poniendo la palma de su mano sobre el sillón de mimbre, a sentarse a su lado, como hacían antes. Pero no chocaron las copas brindando "para que nunca nos separemos". La miró casi rogando que lo hicieran, pero ella lo ignoró y sorbió un trago con un rápido movimiento sin voltear a verlo.

—Has tenido razón en todo. Ojalá pudiera regresar el tiempo. He sido un necio.

Levantó su mano frente a él, evitando que continuara hablando.

—Solo te llamé para hablar de Itzel. Las investigaciones van adelantadas. Estuve en San Miguel. Había decidido no apoyarles, pero no creo que sea justo con ella, tienen que salir los culpables. Esto me está consumiendo.

Andrés se puso de pie, se inclinó a su lado y le tomó las manos. Ella lo miró y las lágrimas empezaron a bajar lentamente por sus mejillas. Él le besó las manos y puso su rostro sobre sus piernas, como había hecho infinitas veces. Francisca se dejó llevar, lo necesitaba tanto en ese momento, no daba más. Él se sentó de nuevo cerca de ella, sin soltarle las manos, y con el otro brazo la atrajo hacia su pecho. Ella lloraba rabiosamente.

Al terminar la botella de vino, Francisca se levantó y se dirigió a la habitación. Andrés la siguió. Le ayudó calladamente a cambiarse de ropa y a meterse en la cama, le preparó un té y estuvo cerca mientras se lo tomaba, con la taza aferrada a sus dos manos.

Se recostó a su lado y se abrazaron como antes. Acercaron sus cuerpos e hicieron el amor con ternura, como al descubrirse la primera vez y con la rabia que da saber que más tarde se podrían separar para siempre. Ya no más amores pasionales, furiosos, iracundos, violentos. Después se quedaron quietos, desnudos, juntos, abrazados, respirando suavemente, como esperando que la llegada del amanecer les diera un hálito de vida, una señal de esperanza que nunca llegó.

Francisca fue la primera en levantarse. Sin volver a ver a la cama se metió al baño siguiendo una costumbre, esperando que nada de aquello hubiera pasado, sabiendo que, al volver a la habitación, Andrés ya no estaría ahí.

Los días fueron pasando y él hizo una rutina visitarla todas las tardes. No hablaban de Itzel, ni hablaban de ellos. Preferían cualquier otro tema hasta agotarlo, o hasta que ella mostraba signos de cansancio. Se iban a la habitación hasta que se dormía y después él se retiraba en silencio. Quería esperar pacientemente el momento cuando se decidiera a hablar de ellos.

Un día de lluvias salieron a comer. El local estaba casi vacío. Se sentaron en una mesa cerca de la ventana, desde donde miraban los rosales recién florecidos. Una llovizna tenue salpicaba los vidrios y las gotas resbalaban suavemente. Los meseros les observaban de manera disimulada. Después de dos tequilas, Andrés estaba listo para lanzarse al vacío.

—Querida, esta es nuestra oportunidad para que este amor pueda regenerarse, que se vayan los dolores.

Francisca le oía sin hablar.

—Quiero decirte ahora todo lo que hubiera querido decirte antes.

Y cuanto más hablaba, más lejana y más extraña se volvía ella. No habló, no respondió. Miraba por la ventana. Al terminar de comer, se levantaron y sin decir una palabra más, regresaron a la casa.

Cuando abrió la puerta, el cuerpo de Andrés se estremeció y creía que podía oír sus propios latidos. No se atrevía a dar un paso más por temor a que la escena que estaba viviendo desapareciera en la neblina junto con Francisca. El salón lucía en penumbras. Una tenue capa de polvo flotaba en el ambiente y minúsculas partículas se entremezclaban en una danza sin música.

Se sentaron una frente al otro. Ella, fría. Él con temor, presintiendo lo que veía venir. Ella venciendo su miedo a vivir sin él y él venciendo su miedo a dejarla ir. Eran dos cuerpos distantes.

—¿Dónde estamos ahora? ¿Qué vida nos espera? No quiero que nos separemos, quiero seguir construyendo la vida junto a ti, es toda una enorme desgracia escrita con mis acciones, nada podrá ser como era antes, pero podríamos recuperar lo que fue nuestra vida hecha por ambos. Vengo ahora a ti para que me perdones, para que nos sujetemos, para volver a ser lo que fuimos. Déjame serlo Francisca, déjame serlo. Baila de nuevo para mí, querida.

—Mientras más insistes, más estoy cierta de que esta es la mejor decisión —dijo de repente, ocultando las ganas de llorar. Debía destruir lo forjado y que hasta ese momento había sido toda su vida.

Ya no le importaba.

Su amor se iba deshaciendo entre las manos de ella y él no podía hacer nada por evitarlo. Se iba refugiando entre los rododendros del patio donde tantas veces había ocultado sus iras, sus celos, enredados como un animal de varias cabezas entre los troncos que se aferraban a los muros, como en una eterna alianza de la que ya nunca se separaría.

Una infinita tristeza le traspasaba el cuerpo, pero se sorprendía de su propia fuerza ¿cuántas veces lo pensó? Él sabía que estaba en el camino de perderla y ahora ya no habría lugar para el perdón. Todo era una quimera.

—Sálvanos —dijo él, y ella sabía que no podía, mientras se alejaba con su piel clara cubierta por el fino rocío de la noche, creyendo que era el final.

Francisca quería recordar cada caricia, cada aliento, cada locura, cada razón que le hicieron amar a este hombre. Al final, lo sabía, las memorias quedaban resguardadas, bien adentro. No las siente, pero ahí estarán, esperando volver, un día, cuando menos las espere. Andrés se iría convirtiendo en una sombra. Solo sería un nombre atado a una reminiscencia, o un rostro enredado en todos esos recuerdos. Ella se encargaría de borrar hasta el último vestigio.

"Dicen que se puede elegir qué recordar, las memorias vuelven a una solo cuando se quiere, pero a veces no se puede detener su regreso, es mejor dejar todo en el pasado donde pertenecen. La muerte de mi madre, la muerte de Itzel, la deslealtad de Andrés, las niñas violentadas, las mujeres rasgadas, todos los pecados del mundo, ese abandono en el que he andado por la vida. Tal vez si cierro los ojos …".

Va despojándose de su piel, tantas veces tocada por él, de sus memorias tatuadas, de sus besos y abrazos multiplicados y sabe que ya no será más. Se ve desnuda en los reflejos de la luna y las sombras filtrándose por la ventana que tantas veces les encontró.

La silueta de Andrés se iba desperfilando y Francisca ya no tenía ganas de llorar, solo quiere dejarlo ir, dejarse ir. ¿Lo amaba aún? No lo sabía. Y ya no importaba.

En ese instante supo que finalmente estaba dispuesta a continuar con su vida.

FIN

(Coyoacán, diciembre 2016-Mombacho, enero 2022)

ÍNDICE